現役東大生が書いた

地頭を鍛える
フェルミ推定ノート

「6パターン、5ステップ」でどんな難問もスラスラ解ける！

東大ケーススタディ研究会 著

東洋経済新報社

はじめに

本書の目的・趣旨

　本書はビジネスパーソンや学生、そして戦略コンサルティングファーム（以下、戦略コンサル）への就職を目指している就活生も含めた幅広い方々に対して、フェルミ推定の体系と解法ステップを提案する解説書であり、それに準拠した問題集でもあります。

　本書の主要な目的は、就職活動面接におけるフェルミ推定のテクニックやノウハウを紹介することではありません。フェルミ推定の持つ論理的思考訓練ツールとしての奥深さを感じていただきたいというのがその根幹の趣旨です。

　われわれ東大ケーススタディ研究会のメンバーは、戦略コンサル就活のために、フェルミ推定に関する本を片っ端から読み漁り、スターバックス（以下、スタバ）に集まって1日何時間もの議論を数カ月間繰り返してきました。

　当初は面接対策が目的の活動でしたが、徐々にフェルミ推定はロジカルシンキング、仮説思考、モデル化、定量化など、広く「地頭力」を鍛える最高のトレーニングであることに気づき、その魅力・おもしろさにはまり込んでいきました。

　われわれはこの経験をもとに、ぜひ多くの方々にこのようなフェルミ推定の魅力を伝えられればという思いから、今まで解いてきた1000問近くの問題を体系化し、その解法の類型化に着手しました。

　その過程では幸運にも、われわれの声に賛同してくれた多くの戦略コンサル内定者の方々の協力を得ることもできました。

　結果として、実際の面接のリアリティを伝え実践的対処法を解説するに

とどまらず、フェルミ推定の本質である大胆かつ緻密な論理プロセスの構築方法を、遊び心を交えながら描き出すことができたと思っています。

また、昨今の地頭力ブームに乗って、「フェルミ推定」と冠した書籍は数多く出ていますが、問題数も限られており、その解法もやや単純にすぎるものが多い気がしています。

本書はその質・量において、他に類を見ない価値を読者の方々に提供でき、フェルミ推定を学ぶ上でのスタンダードとして多くの方に受け入れていただけるものと自負しています。その意味で、戦略コンサルへの就職を目指している学生の方々の面接対策としてお使いいただけるのはもちろん、職業・年齢を問わず「地頭力」を鍛えたいと思っているすべての方が楽しみながらフェルミ推定を解くための「水先案内人」となり得たのでは、と感じています。

本書の構成

「PART 1」では、フェルミ推定の全類型を広く俯瞰した後に、具体的な問題を例にその解法プロセスを深く詳細に解説しています。

まず、「フェルミ推定の基本体系」において、フェルミ推定のジャンル別体系を提示しています。われわれが実際に解いてきた1000問近くのフェルミ推定の問題のほとんどがこの体系に収まることを考えると、かなり汎用性の高い体系になっているといえます。

この体系の意義は、ツリーによって分類される問題とその基本的な解法が1対1に対応していることにあります。つまり、出された問題が体系のツリーのどこに分類されるかさえわかれば、基本的な解法もわかるように作られているのです。

このフェルミ推定の体系こそが、本書におけるわれわれの最大の提供価値であるといっても過言ではないでしょう。

さらに、「フェルミ推定の基本5ステップ」において、すべてのフェルミ推定に共通する基本的解法プロセスを、われわれの実際の面接経験に基づいて作成した対話形式で体感していただきます。ここはフェルミ推定の

骨組みとなる部分ですので、しっかり読んで身につけていただければと思います。

「PART 2」では、基本体系に基づいた代表的な例題とその解答・解説、それに対応した練習問題を掲載しました。

「例題」はいきなり解答・解説に目を通すのではなく、少しだけでもいいので頭と手を使って考えてみてください。それによって解答・解説から得られるものも変わってきます。自信のある方は時間を測って解いてみるのも勉強になるでしょう。

自分なりの見通しが立ったら、解答・解説の論理展開を1つひとつたどって、かみしめてみてください。聞き手を説得するために必要な論理レベルを実感できるでしょう。ただし、答えを導くプロセスは文字通り無数に存在し、解答はあくまでも「例解」にすぎないため、自らのロジックを頼りに批判的に読み進めていただければと思います。

フェルミ推定においては、ロジックが通っていることがもっとも重要であり、最終的に計算された数字と現実との適合性はそこまで重視されません。しかし現実と比較することは、今後よりリアリティのあるロジックを組み上げるための反省材料になるのはたしかです。

そういったねらいから、多くの問題には実際の統計データが付してありますので、自分の出した数字と比べ、どこが現実とズレていたのかをたしかめてください。ロジック感覚と数的センスが磨かれてくるでしょう（ただし、「東京都に鳩は何羽いるか？」など統計データの探索がきわめて難しい問題に関しては、途中で置いた仮定の検証で代替したり、他の数値と比較することでその数値の実感を示すにとどまっていることもあります）。

例題を終えた方は、ぜひそれに続いた「練習問題」にチャレンジしてください。基本的解法は例題と同じですが、難易度は例題より高いものが多いです。解答・解説は巻末に載せてありますので、活用してください。例題と同様に、時間を測って解いてみるのもよいでしょう。

本書の問題をこなしていくうちに、徐々にフェルミ推定のリズムが体に染みついてくるのが実感できると思います。街を歩いているとき、「日本に郵便ポストはいくつあるか？」や「東京都内に捨てタバコは何本あるか？」といった問いが自然と頭に浮かび、脳が勝手に数の計算をはじめるようになればしめたものです。

　フェルミ推定のロジックが脳内言語として完全にインストールされるまで、楽しみながら練習を繰り返してください。

　なお、これらの問題は1人でこなしていくのも有効ですが、友人と時間を測って解き、ロールプレイング的に面接を実践したり、ディスカッションをしていくとさらにおもしろいでしょう。

　友人のロジックに対して批判や検討を加えていくことで、さらなるロジックの高みが見えてきます。実際、われわれもスタバで大声を出しながら、世界中のゴキブリの数やトイレットペーパーの国内市場規模について、マニアックな（？）議論を数時間繰り返していました。周囲の人はさぞや不審感を抱いたことでしょう。

　1人でも多くの方に頭脳訓練ツールとしてのフェルミ推定の魅力を感じていただき、そのロジックの旋律を楽しんでいただければ幸いです。

目次 　現役東大生が書いた 地頭を鍛えるフェルミ推定ノート

はじめに　　001

PART1 1000問解いてみてわかった！
フェルミ推定6つのパターンと5つのステップ　　006

- chapter 1　フェルミ推定の基本体系　　……008
- chapter 2　フェルミ推定の基本5ステップ　　……016
- コラム①　フェルミ推定は実生活に役立つ！　　……032

PART2 6＋1パターン15問のコア問題で、
地頭を効率的に鍛える！　　034

- 個人・世帯ベースでストックを求める問題：例題1・2　　……036
- 法人ベースでストックを求める問題：例題3　　……044
- 面積ベースでストックを求める問題：例題4〜6　　……050
- ユニットベースでストックを求める問題：例題7・8　　……059
- マクロ売上を求める問題：例題9〜11　　……067
- ミクロ売上を求める問題：例題12〜14　　……077
- 「マクロ需要÷ミクロ供給」でストックを求める問題：例題15　　……087
- コラム②　「フェルミバカ」によるフェルミ推定訓練法　　……091

おわりに　　092

＋15問でワンランク上の地頭を作る！　練習問題解答　　095

フェルミ推定問題 厳選100問　　139

カバー・本文デザイン　dig

PART 1

1000問解いてみてわかった！
フェルミ推定6つのパターンと
5つのステップ

フェルミ推定とは

本書で紹介する「フェルミ推定」とは、「日本全国の牛の数」「長野県のそば屋の数」「胃腸薬の市場規模」など、「直感では見当のつかないような荒唐無稽な数量を、知っている知識だけをもとに、合理的な仮定とロジックを駆使して、短時間で概算する方法」を指します。封筒の裏などに短時間でちょこちょこっと計算するところから、Back of Envelope（封筒の裏）の計算などとも呼ばれます。

フェルミ推定は科学者の思考訓練ツールとして有効であると認められたことから、欧米の学校では理科系の教材として幅広く利用されています。中には、フェルミ推定の「科学オリンピック」のような大会まで存在しています。

このようにして科学の世界における物理量の推定に端を発したフェルミ推定でしたが、科学者教育の教材だけでなく、後々にはコンサルティング会社や外資系企業での面接試験、そして今では一般のビジネスパーソン向けの教育ツールにも利用されるようになってきています。

chapter
1 　フェルミ推定の基本体系

　本書はフェルミ推定を解くことで、ロジカルシンキング、仮説思考、モデル化、定量化などの「思考プロセス」を習得していただくことを目的としています。ですが、いざフェルミ推定の問題を解こうとしても（たとえば「日本全国の電柱の数はいくつ？」と聞かれても）、「どこからとりかかっていいのかわからない」と感じる人が多いのではないでしょうか？　そこで、本書ではフェルミ推定理論の骨組みとなる「基本体系」を示します。

　この「基本体系」を頭に入れておくことで、「〜の数はいくつ？」と突然だれか（たとえば面接官）に聞かれたとしても、「あ、体系の中のあそこにあった類型の問題だ！」とわかり、すぐに解決の糸口が見つかるはずです。

　フェルミ推定の「基本体系」は次ページの図のようなものになります。

　どうでしょうか？　やや特殊な用語を用いているのでわかりにくいかもしれませんが、個々の用語の意味についてはおって説明していきます。

　ところで、この体系はフェルミ推定の「基本体系」であり、フェルミ推定の問題を完全に網羅しているものではありません。たとえば図に記した「フロー問題」の応用として、「自動車の市場規模の増減は？」といった問題があります。厳密にいうと、「市場規模の増減」問題は、この体系の中に含まれてはいません。でも、「フロー問題」の「マクロ売上推定」（ex.「自動車の市場規模は？」）を理解していることで、「市場規模の増減」問題を解くベースを得ることができます。

　すなわち、ここで示すフェルミ推定の「基本体系」は基本的なフェルミ

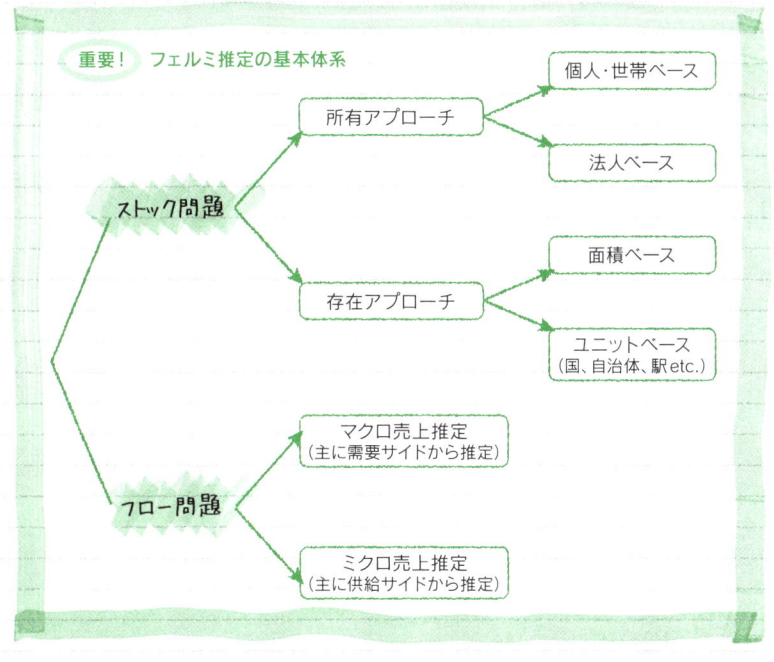

推定の問題を網羅したものであり、一方で、より高度な応用問題を解くためのステップとなるものです。本書では応用問題をわずかしか扱いませんが、また別の機会に応用問題の解法も説明したいと考えています。

それでは、「基本体系」の図で使われている用語の意味を簡単に説明しておきます。

(1)「ストック問題」と「フロー問題」
ストック、フローとは？

まず、フェルミ推定問題を大きく二分する「ストック」(stock)と「フロー」(flow)という用語について説明します。

辞書で「ストック」を調べると「ある一時点に存在する経済諸量の大きさを示す概念」、一方で「フロー」は「経済諸量が一定期間内に変化また

は生起した大きさを示す概念」という説明が出てきます。これだけで「ストック」と「フロー」を理解できた人はかなり国語力に長けた人といえるでしょう。

　よりかみ砕いて説明するならば、「ストック」とは「あるモノの一時点における存在量」のことであり、一方で「フロー」は「あるモノの一定期間における変化量」のことです。たとえば、「自動車」を例に考えてみましょう。

ストックとフローの具体例──自動車
　「日本における自動車の数」と「日本における自動車の市場規模（年間）」……果たしてどちらが「ストック」で、どちらが「フロー」でしょう？

　答えは、「日本における自動車の数」が「ストック」であり、「日本における自動車の市場規模（年間）」が「フロー」です。市場規模（年間）は1年間の自動車の国内総販売額を集計したものですから、「1年間という一定期間で自動車が日本で売られた量（金額）」といえますね。

　たとえていうと、「ストック」は「容器の中の水の量」であり、「フロー」は「一定時間に蛇口から容器へ注がれる（容器から出ていく）水の量」です。後者の「フロー」は、「1分間に10リットル」のように、一定時間あたりの量を表しているという特徴があります。

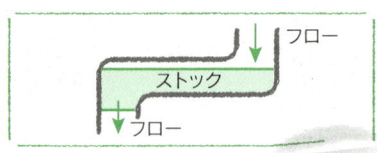

（2）「所有アプローチ」と「存在アプローチ」
所有アプローチと存在アプローチの定義
　フェルミ推定の問題を解く場合、何かを「手掛かり」として、つまり何かを「ベース」として数を求めなければなりません。「所有アプローチ」

とはその「手掛かり」が「モノを所有している主体」の場合であり、「存在アプローチ」はその「手掛かり」が「モノが存在する空間」である場合です。

言い換えると、「所有アプローチ」では「だれがもっているのか？」という問いから思考がはじまり、「存在アプローチ」では「どこにあるのか？」という問いから思考がはじまります。

たとえば、「日本にピアスはいくつあるか？」という問題があったとしましょう。

みなさんは、「ピアス」から何を連想しますか？

フェルミ推定を解く場合、たとえば、「ピアス」→「若い女性がもつピアス」→「個人」といった連想が可能です。つまり、「ピアス」を所有している主体＝「個人」と連想できます。そして実際に、「個人」の数をベースに「日本のピアス」の数が求められます。

一方で、「日本に電柱は何本あるか？」という問題があります。

さて、今度は「電柱」から何を連想しますか？

たとえば、「電柱」→「家の周りに立ち並ぶ電柱」→「家の周りの面積」→「電柱1本あたりの面積」という連想が可能でしょう。つまり、「電柱」が存在する空間＝一定の「面積」を連想します。そして、電柱1本あたりの「面積」をベースとして「日本における電柱」が求められます。

「所有アプローチ」には、上に挙げた「個人ベース」以外にも、世帯が所有すると考える「世帯ベース」や法人が所有すると考える「法人ベース」といった方法があります。

一方で、「存在アプローチ」には、上に挙げた「面積ベース」以外にも、「ユニットベース」という方法があります。では、「面積ベース」と「ユニットベース」についてもう少し詳しく説明しておきましょう。

存在アプローチの分類――面積ベースとユニットベース

「存在アプローチ」は、「面積ベース」と「ユニットベース」の2つに分

けられます。「面積ベース」とは「抽象的な空間」をベースにする方法であり、他方で「ユニットベース」は「具体的な名前がついた空間」（ex. 都道府県）や「具体的に形をもって存在している空間」（ex. 駅）をベースにする方法です。

　たとえば、「平均すると、日本全国に50m四方あたりにつき電柱が1本ある」と仮定したとしましょう。ここでベースとなっている「50m四方の面積」は、解答者が設定した抽象的な空間ですので、「面積ベース」ということができます。

　他方で、たとえば都道府県をベースに日本にある美術館の数を求める場合、ベースとなる「東京都」や「神奈川県」といった空間は実際に具体的な名前をもって存在している空間です。この場合は、「各都道府県に平均して〇個の美術館がある」というように考えていくのですから、「ユニットベース」と考えることができます。

　このように、「存在アプローチ」では、「抽象的な空間」をベースにするか、あるいは都道府県のような「具体的な空間」をベースにするかで、解法が区別できるのです。

　さらに「ユニットベース」では、「公園」や「駅」といった抽象的な名前（固有名詞ではないという意味で）でありながら「具体的に形をもって存在している空間」があります。本書では、説明の便宜上、「公園」や「駅」といった空間を「ユニットベース」に含めて考えています（究極的には、「公園」や「駅」をベースとした解法は「面積ベース」あるいは「個人ベース」に集約されるのですが、それはあとの例題で確認してください）。

(3)「マクロ売上推定」と「ミクロ売上推定」
マクロ売上推定とミクロ売上推定の定義
　次に、「フロー問題」における「マクロ売上推定」と「ミクロ売上推定」の区別を説明します。

　本書では「マクロ売上推定」≒「市場規模推定」であり、「ミクロ売上推定」≒「1店舗ないし複数店舗の売上推定」といって差し支えありません。

「マクロ」・「ミクロ」の違いは、端的には、規模の違いです。「マクロ」は相対的に「ミクロ」より規模が大きいもの。また「ミクロ」は相対的に「マクロ」より規模が小さいものです。つまり、「マクロ売上推定」とは「規模が大きい」売上であり、また「ミクロ売上推定」とは「規模が小さい」売上です。よって、「日本の市場規模」⇒「規模が大きい」⇒「マクロ売上推定」となり、「１店舗の売上」⇒「規模が小さい」⇒「ミクロ売上推定」となります。もっとも、規模が大きいか小さいかは、相対的な基準であることに留意が必要です。

なお、本書では「フロー問題」を「売上（円）」ないし「数量（個）」に限定しています。それは、本書がいわゆるサイエンス系フェルミ推定ではなく、ビジネス系あるいは公共政策系・日常系のフェルミ推定を扱っているからです。サイエンス系フェルミ推定とは、たとえば「砂浜に砂粒はいくつあるか」といったような「自然」を対象としたフェルミ推定のことですが、解くためにある程度の「理系的」専門知識が必要なことも珍しくないため、本書では割愛しました。

マクロ売上推定とミクロ売上推定の解法

ところで、本書では、

「マクロ売上推定」⇒「主に需要サイドから推定する」
「ミクロ売上推定」⇒「主に供給サイドから推定する」

という解法をお薦めしています。ちなみに、「需要サイド」とは「買う側」のことであり、また、「供給サイド」は「売る側」を意味します。

たとえば、「日本における自動車の市場規模」という「マクロ売上推定」の問題を考えてみましょう。

「日本における自動車の市場規模」を推定する場合、「供給サイド」から市場規模を求めることは困難です。自動車を売る側を国内メーカーと海外メーカーに分類して、主要企業の売上を考えるにしても……それら企業の

特徴を瞬時に、正確に把握することができません。

「日本における自動車の市場規模」を推定する場合には、やはり日本国内での需要をもとにしなければなりません。「自動車の市場規模」の問題であれば、自動車を保有する主体である「世帯」をベースにして数を求めるのが無難なところでしょう。

つまり、「自動車の市場規模」のような「マクロ売上推定」の問題では、「需要サイド」ないし「買う側」から考えたほうが私たちの実感にかなっているのです。

他方で、「あるスタバ1店舗の売上」という「ミクロ売上推定」の問題を考えてみましょう。

「あるスタバ1店舗の売上」を推定する場合、今度は逆に「供給サイド」から売上を求めたほうが私たちの実感にかなっています。なぜなら、スタバに足を運んだことがあるなら、供給サイドであるスタバの店舗を私たちは具体的にイメージできるからです。より正確には、スタバの席数、営業時間、稼働率、回転率などを具体的にイメージすることができます。そして、これらの要素を組み合わせて式を立てることで、「あるスタバ1店舗の売上」を求めることができます。

一方で、「需要サイド」から「あるスタバ1店舗の売上」を求めることは困難であると考えられます。たとえば、丸の内にあるスタバにやってくるお客さんをイメージしてみましょう。しかし、丸の内にあるスタバにやってくるお客さんは、外国の人であったり、日本人であっても観光客であったり、学生であったり、オフィスワーカーであったり……それぞれの客層が何人いて、いつ、いくら買うのかといった特徴を把握するのは、とても困難です。

もっとも、ややアクロバティックな方法を使えば、「需要サイド」から「スタバの売上」を求めることができます。それは次のような方法です。

まず、「コーヒーショップの市場規模」という「マクロ売上」を求めた上で、スタバのシェア（％）を仮定します。そして、「コーヒーショップの市場規模」にスタバのシェアをかけることで求められた「スタバ（企業）

の総売上」を店舗数で割れば……なんとか「スタバ（1店舗）の売上」を求められます。もっとも、この場合は「丸の内のスタバ」のような特定店舗の売上ではなく、「スタバ1店舗あたりの平均的な売上」であることに留意が必要です。

スタバ1店舗あたりの平均的な売上
＝コーヒーショップの市場規模×スタバのシェア÷スタバの総店舗数

「マクロ売上」から「ミクロ売上」を求める、以上のような例外的な解法があることも覚えておいて損はないでしょう。

▶思考力を鍛えるのにとても参考になった書籍たち。とくに『地頭力を鍛える』（細谷功著、東洋経済新報社）は非常に参考にさせていただいた。

chapter 2 フェルミ推定の基本5ステップ

(1) 基本ステップの解説──5つのステップ

フェルミ推定は、基本的に次の5つのステップで進めていきます。

(ⅰ) 前提確認
(ⅱ) アプローチ設定
(ⅲ) モデル化
(ⅳ) 計算実行
(ⅴ) 現実性検証

ここでは、「日本に鞄はいくつあるか？」という問題を例に、この5つのステップを順に説明していきます。

(ⅰ) 前提確認

(ⅰ) 前提確認では、「鞄」をどのように定義するか（「定義」）、どのような「鞄」を数えるのか（「範囲の限定」）を決めなければなりません。たとえば、一言で「鞄」といっても、ボストンバッグのように大きなものから、ポーチのように「鞄」といえるのかどうかわからないものまで、その種類は多様です。また、所有者別に見ても、お店に飾ってある「法人が所有する鞄」や、中高生が学校に持っていく「個人が所有する鞄」などがあります。

ですので、どういう「鞄」を数えるのか、はじめに定義を決め、範囲を限定しておかないと、あとから何を数えているのか混乱が生じてしまいます。まずは「鞄」を「定義」して、それから、数える「範囲の限定」を行いましょう。

(ⅱ) アプローチ設定

次の (ⅱ) **アプローチ設定**では、基本的な式を設定します。(ⅲ) モデル化のステップとの違いを感覚的に説明すると、(ⅱ) アプローチ設定は「横に展開」する式を考えるのに対し、(ⅲ) モデル化は「縦に分解」する式を考える、といえます。

「日本に鞄はいくつあるか？」という問題に対し、「個人が所有している鞄」に範囲を限定した場合であれば、(ⅱ) アプローチ設定で立てるのは、

日本における鞄の数 = 日本の人口 × 鞄の平均所有数

という式になります。

また (ⅱ) アプローチ設定の際には、「何をベースに数えるのか」を明確にしなければなりません。ちなみに「ベース」とは、上のような式を作る際に軸となる要素のことです。よく用いられる「ベース」には、「面積ベース」(ex.「日本に電柱は何本あるか？」)、「個人ベース」(ex.「日本にピアスはいくつあるか？」)、「世帯ベース」(ex.「日本に自動車は何台あるか？」) があります。ここで考えている「日本に鞄はいくつあるか？」では日本の人口を式に組み込んでおり、「個人ベース」の問題といえます。

ところで、上記の式だけでは「鞄の数」はさっぱり求められません。より正確には、数を求めることはできますが、根拠薄弱な仮定をもとにした雑な数しか求められません。

日本の人口は社会科で学んだ知識から1億2000万人でよいでしょうが、鞄の平均所有数となれば、「うーん、よくわからないけど、だいたい2個！」というたしかな根拠に欠けた数字を提示せざるを得なくなります。

そこで、たしかな根拠に基づいた数字を提示するため、また、精緻な式を作るために、次に述べる (ⅲ) モデル化が必要となります。

(ⅲ) モデル化

(ⅲ) モデル化は、感覚的に表現すれば、上記の式の日本の人口や鞄の平均所有数を縦に分解するものです。

(ⅲ) モデル化の方法はさまざまあると思いますが、たとえば、

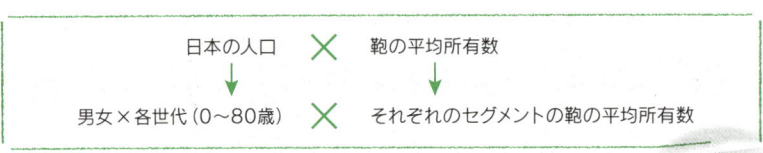

というように、日本の人口を男女と各世代（0～80歳）に分解することで、「女性は男性よりも鞄を多く持っている」「10歳未満の子供は20歳以上の大人に比べて鞄を多く持っていない」などといった、それぞれのセグメントの鞄の平均所有数に関する具体的なイメージが可能となります。

ここで「具体的なイメージ（実感）」それぞれについて「論理的な根拠」を提示することができればいうことはありません。ただ、上に述べた「女性は男性よりも鞄を多くもっている」という仮定にしても、論理的に細かく分析するときりがないので（女性は男性よりファッションに興味をもっている→ファッションとして鞄を買い足す場合がより多い→女性は男性よりも鞄を多くもっているetc.）、ほどほどにしておいたほうがよいでしょう。

つまり、できるだけ正確であり、なおかつ、聞いている人を納得させられるような仮定であればよいのです。

(ⅳ) 計算実行

(ⅱ) アプローチ設定（横に展開）と (ⅲ) モデル化（縦に分解）を経て、精緻な式を作り、それぞれの要素に数を代入することができたら、あとは (ⅳ) 計算実行に移るだけです。

(ⅳ) 計算実行では「スピード」と「正確性」が求められます。まあと

にかく、速く・正確に計算するしかないのですが、フェルミ推定では「概数に直して計算する」というテクニックを用いることができます。

たとえば、前出の「鞄の数」の式に数を代入した結果として、

750万（人）×47（個）

という計算式が出たとしましょう。その際に「うーん、ちょっと計算に時間がかかりそう＆計算を間違えそう」と感じたら、

750万（人）×47（個）≒750万（人）×50（個）
　　　　　　　　　　＝375万（人）×100（個）
　　　　　　　　　　＝3億7500万（個）

と計算してもかまいません。

　そもそもフェルミ推定は「完全に正確な数を求める」ことが目的なのではなく、「数を求めるための計算式を作る」and/or「おおよその数を瞬時に求める」ことが目的なので、このような「概数に直した計算」でも大きな問題は生じないのです。

（ⅴ）現実性検証

　最後のステップは（ⅴ）現実性検証です。
　（ⅴ）現実性検証のステップは、（ⅰ）～（ⅳ）のステップで自分が設定した計算式の正しさや数の正確さをチェックするという意味があります。なお、現実性を検証してかなり数が正確だった場合、1人で悦に入ることができます（完全に自己満足ですが）。
　ちなみに、戦略コンサルでの面接においてフェルミ推定の問題が出題された場合、かなり的外れな数をコンサルタントに提示すると（ex. 日本にある鞄の数が1兆個など）、「少し数字がおかしいんじゃない？」などと突っ込まれることになります。その意味で、面接のような場面でも（ⅴ）現実性検証のステップが存在します。

(2) 基本ステップの実際例──面接の場面を再現しつつ

5つのステップ（（ⅰ）前提確認、（ⅱ）アプローチ設定、（ⅲ）モデル化、（ⅳ）計算実行、（ⅴ）現実性検証）を理解していただいたところで、次に、実際にフェルミ推定を行う過程を、戦略コンサルでの面接の場面を再現しつつ説明します。

なお、ここでは「日本におけるボルビックの年間消費量」を題材にフェルミ推定のプロセスを説明しますが、上記（ⅱ）～（ⅴ）までのステップを2回繰り返します。

なぜなら、「ボルビックの年間消費量」の問題では、（ⅰ）前提確認のステップで「ボルビック」を定義・分類した結果として、①「個人ベース」、②「世帯ベース」の2つをもとに数を求める必要が生じるからです。

通常の面接では、時間の都合上、①か②のどちらかを実施して終わることが多いと思いますが、フェルミ推定の奥深さを理解していただくために、以下では①と②の両方を説明します。

＜登場人物＞
堀（コンサルタント）：大手戦略コンサルの若手コンサルタント
吉永（学生）：戦略コンサル内定を目指す学部3年生

（場所は六本木にあるオフィスビルの高層階。応接室を利用した面接の部屋に入ると、階下には東京のビル群が見渡せ、面接官は窓を背にして座っている）

堀：どうも、堀と申します。本日はお越しいただき、どうもありがとうございます。まずは、簡単に自己紹介をしていただけますか？

吉永（以下「吉」）：はい、○○大学経済学部の吉永と申します。経営学のゼミに参加しています。また、大学ではサッカーサークルに所属し、昨年度は部長を務めました。本日はどうぞよろしくお願いします。

堀：ありがとうございます。サッカーをやっていらっしゃるんですね。実は僕も中学のころからサッカーをやっていて、今も友人たちと休みの日にフットサルをしていたりするんですよ。

まあ、それはさておき、本日は吉永さんに「ケース問題」を解いていただこうと考えています。「ケース問題」を解いたことはありますか？

吉：はい、あります。

堀：それでは、さっそくはじめましょう。そうだな……今、僕の目の前に「ボルビック」というミネラルウォーターのペットボトル（500ml）がありますね。

では、今から「日本におけるボルビックの年間消費量」を数えていただけますか？

まあ、いわゆる「フェルミ推定」の問題ですね。吉永さんのお手元にあるペンと紙を使ってくださって結構ですよ。

ステップ(ⅰ) 前提確認

吉：承知いたしました。

まず、ミネラルウォーターの「ボルビック」を定義・分類したいと思います。

「ボルビック」はペットボトルに入れられているミネラルウォーターの1つです。「ボルビック」は容器の大きさに応じて、いくつかに分類できると私は考えます。

堀：なるほど、どのように分類できますか？

吉：はい、ここでは①500ml以下のペットボトルと、②500mlより大きいペットボトルに区別したいと思います。私がこのように分類する理由は、容器の大きさによって「個人が持ち運びするか否か」が変わると考えるか

らです。

　つまり、①500ml以下のペットボトルは通常個人が持ち運びをするタイプのものであり、一方、②500mlより大きい、1000mlや1500mlのペットボトルは、通常家に常置されるタイプであると仮定できます。

　（話しつつ、紙に次のような「ツリー」を書き込む）

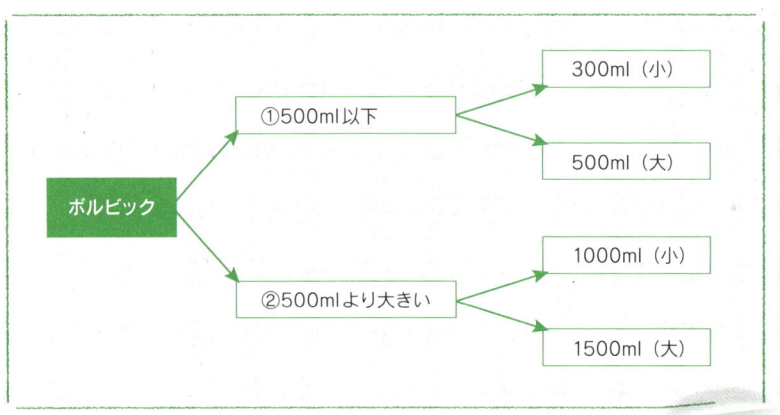

　①500ml以下の「ボルビック」には、300mlの比較的小さいペットボトルと、500mlの比較的大きいペットボトルがあります。一方で、②500mlより大きい「ボルビック」には1000mlの比較的小さいものと1500mlの比較的大きいものがあります。

　①の数は「個人をベース」に求め、一方で、②の数は「世帯をベース」に求めたいと思います。

　その際には、①②それぞれ、小さいサイズと大きいサイズが同数消費されていると仮定して、

　　①の容量＝（300ml＋500ml）÷2
　　　　　　＝400ml
　　②の容量＝（1000ml＋1500ml）÷2
　　　　　　＝1250ml

として計算していきます。

堀：なるほど、結構です。先に進めてください。

① 「500ml以下」のボルビックの年間消費量

ステップ(ⅱ) アプローチ設定

吉：はい。まずは①のボルビックの消費量を求めたいと思います。
　①のボルビックの消費量は、

A：日本の人口×B：ミネラルウォーターの平均消費本数
×C：ボルビック選択率（シェア）×D：ボルビックの平均容量

という式で求められます（紙に上の式を書き込む）。
　ここまでよろしいでしょうか？

堀：なるほど、素晴らしいですね。いいと思います。

吉：A：日本の人口は、1億2000万人と仮定します。
　D：ボルビックの平均容量は、先ほど申し上げたように、（300ml＋500ml）÷2＝400mlとして計算します。
　C：ボルビック選択率は、さしあたり20％として計算します。

　他方で、やや複雑なのはB：ミネラルウォーターの平均消費本数ですが……ここまでいかがでしょう？

堀：C：ボルビック選択率を、なぜ20％として計算するのですか？

吉：そうですね、Cの仮定についてもう少し詳しく説明したほうがいいかもしれません。

日本で売られているミネラルウォーターは多数ありますが、その中でも、エビアン・ボルビック・クリスタルガイザーをコンビニや自動販売機でよく見かけます。

　基本的には実感ベースですが、私はこれら3つのミネラルウォーターを除く多数のもののシェアを合わせて50%と仮定し、一方で、エビアンのシェアを20%、ボルビックのシェアを同じく20%、クリスタルガイザーのシェアを10%と仮定しました。

堀：なるほど……いいでしょう。先に進めてください。

ステップ(ⅲ) モデル化

吉：はい。では、次にB：ミネラルウォーターの消費本数を求めたいと思います。

　Bを求めるにあたり、日本の人口を男女・世代に分け、それぞれのセグメントについて毎月の消費本数を書き込んでいきます。

（次のような表を紙に書き込む）

歳	10歳未満	10代	20代	30代	40代	50代	60・70代
男	2	4	8	8	6	4	4
女	2	6	10	10	8	6	6

計94本

　ここでは、次の3つの仮定に基づいて数を書き込んでいます。

　1つ目は「①20歳未満の消費本数は比較的少ない」。これは、20歳未満は清涼飲料水など他の飲み物を好むと考えるからです。

　2つ目は「②男性より女性のほうが、消費本数が多い」。これは、女性のほうがカロリーや健康に敏感であると考えるからです。

　3つ目は「③40代以上の消費本数は世代を追うごとに減少していく」。これは、ミネラルウォーターを飲む習慣は最近のものと考えるからです。

堀：説得力がありますね。ところで、各世代の人口はどのように計算するのですか？

吉：はい。ここでは日本の人口を0歳から80歳までと単純化し、また各世代・男女を同数と考えます。つまり、各世代の男女はそれぞれ、

1億2000万（人）÷8÷2＝750万（人）

となります。

堀：いいでしょう。それでは、結局のところ、500ml以下のボルビックの消費量はいくらになりますか？　計算してください。

ステップ（ⅳ）計算実行

吉：はい。先ほどの表をもとに年間のミネラルウォーターの消費本数を求めますと……

750万（人）×94（本）×12（カ月）
≒750万（人）×100（本）×12（カ月）
＝90億（本）

となります。
またはじめに設定した式をもとに年間のボルビック消費量を求めると、

90億（本）×20（％）×400（ml）＝7200億（ml）
　　　　　　　　　　　　　　　＝7.2億（ℓ）

となります。

ステップ(v) 現実性検証

堀：なるほど、ボルビックの年間消費本数が90億本×20％＝18億本ということは……日本の人口を1億2000万人とすれば、日本人1人あたりが平均して年間15本のボルビック（500ml以下）を飲むことになりますね。まあやや多い気がしなくもないですが、無難なところでしょう。

吉：ありがとうございます。
　あ、先ほど私はC：ボルビックの選択率ないしシェアを20％と仮定しましたが、よくよく考えてみれば「国産のミネラルウォーター」を考慮に入れておりませんでした。
　C：ボルビック選択率ないしシェアをより正確化すれば、

「輸入ミネラルウォーターのシェア」×「ボルビックのシェア（20％）」

となり、20％よりやや少なくなると思われます。

堀：そうですね。先ほど吉永さんは、エビアン・ボルビック・クリスタルガイザーのシェアを合わせて50％と仮定されましたが、実際には、国産ミネラルウォーターであるサントリーの「天然水」などもかなりのシェアを占めていますからね。（時計を確認して）……まあせっかく時間もあまっていることですし、ついでに「②500mlより大きい」ボルビックの年間消費量も数えていただけますか？

「②500mlより大きい」ボルビックの年間消費量

ステップ(i) 前提確認

吉：繰り返しになりますが、「500mlより大きい」ボルビックには1000ml（小）と1500ml（大）があります。ここでは、これら2つのタイプが同数消費されていると仮定して、「500mlより大きい」ボルビックの容量を

（1000ml＋1500ml）÷2＝1250mlと考えます。

　これらのタイプは個人が持ち運びするものではなく、世帯の中で、たとえば冷蔵庫の中などに保存されるタイプであると考えられます。

　つまり、「500mlより大きい」ボルビックの年間消費量を数えるためには「世帯」をベースにしなければなりません。

堀：……わかりました。続けてください。

ステップ（ⅱ）アプローチ設定

吉：②のボルビックの年間消費量は……

A：日本の世帯数×B：ミネラルウォーターを買う世帯割合
×C：ミネラルウォーターの平均消費本数
×D：ボルビック選択率（シェア）×E：ボルビックの平均容量

という式で求めることができます（話しつつ、紙に上の式を書き入れる）。

　E：ボルビックの平均容量は、先ほど述べたように1250ml。
　D：ボルビック選択率は、輸入ミネラルウォーターが占めるシェアを50％、その中でのボルビックのシェアを20％と仮定すれば……

50％×20％＝10％

となります。

　また、A：日本の世帯数についてですが、日本の人口を1億2000万人、各世帯の平均人数を父・母・子供1人の3人と仮定すれば……

1億2000万（人）÷3（人）＝4000万（世帯）

となります。

B・Cについてはもう少し細かく見なければなりませんが……ここまでいかがでしょうか？

堀：いいと思います。先に進んでください。

ステップ(iii) モデル化

吉：B：ミネラルウォーターを買う世帯割合とC：ミネラルウォーターの平均消費本数を明らかにするために、日本の世帯を次のように分類します（話しつつ紙に書き込む）。

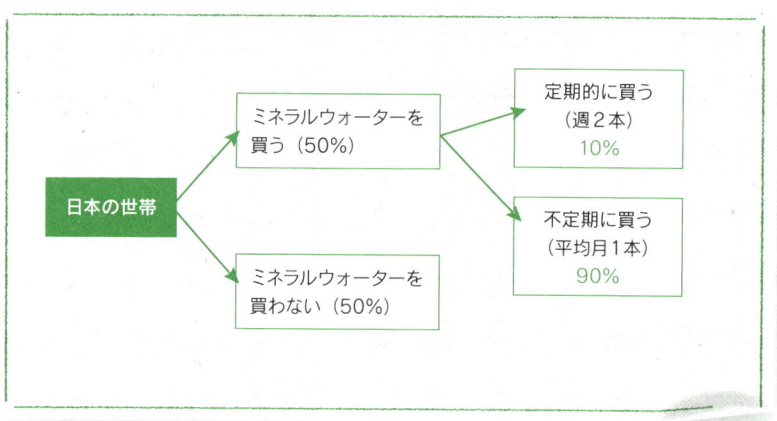

このように、日本の世帯を「ミネラルウォーターを買う」世帯と「買わない」世帯に分類します。そして、それぞれを50％とおきます。あ、いちおう確認ですが、ここでのミネラルウォーターは②の「500mlより大きい」ミネラルウォーターです。

そして、「ミネラルウォーターを買う」世帯を、「定期的に買う」世帯と「不定期に買う」世帯に分けます。

「定期的に買う」世帯は、週に2本ミネラルウォーターを買うと仮定し

ます。日本の平均世帯人数が3人、②のミネラルウォーターの容量が1250mlですから……1人あたり毎週1250ml×2÷3（人）≒800mlのミネラルウォーターを飲むことになります。

「不定期に買う」世帯は、世帯によって買う頻度も本数もさまざまでしょうが、平均して月に1本ミネラルウォーターを買うと仮定します。

また「定期的に買う」世帯の割合を10％、「不定期に買う」世帯の割合を90％と仮定します。この数字は、さしあたり、私の実感に基づくものです。

堀：なるほど、結構です。それでは、計算してみてください。

ステップ(iv) 計算実行

吉：はい。まず、BとCから考えると、

B：ミネラルウォーターを買う世帯割合＝50％
C：ミネラルウォーターの平均消費本数
＝10％×2（本/週）×4（週）×12（月）＋90％×1（本/月）×12（月）
＝9.6（本）＋10.8（本）
≒20（本）

となります。

はじめに述べた式にそれぞれの数字をあてはめると、②のボルビックの年間消費量は、

4000万（世帯）×50％×20（本）×10％×1250（ml）
＝5000万(l)

となります。

ステップ(v) 現実性検証

堀：なるほど、吉永さんの計算によると、①「500ml以下」のボルビックの消費量（7.2億リットルと計算したが、「輸入ミネラルウォーターのシェア」50％を計算に組み込むと3.6億リットルになる）のほうが、②「500mlより大きい」ボルビックの消費量（5000万リットル）よりも大きくなりますね。

吉永さんの②の推定には、ある視点が欠けていると思うのですが……いかがでしょう？

吉：……（しばらく考えたあとに）あ、わかりました！ ①では「消費する」個人をベースに数える一方で、②では「購入する」世帯をベースに数えました。しかし、ミネラルウォーターを「購入する」主体は世帯だけではありません。

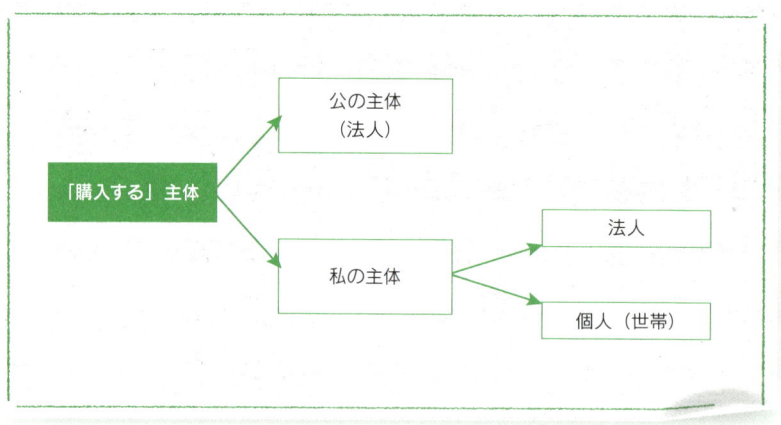

「購入する」主体には「公の主体」（官公庁など）と「私の主体」があり、先ほどは「私の主体」の中の「個人（世帯）」が購入するボルビックの量を計算していました。

しかし、実際には企業などの法人もボルビックを購入するのであり、正

確な数を割り出そうとする場合は「私の主体」の中の「法人」や「公の主体」が購入するボルビックも考慮に入れなければならないと思います。

堀：そうですね。その視点があれば、吉永さんの推定はより素晴らしいものになるでしょう。……ありがとうございます。結果はまたおってご連絡差し上げます。

吉：本日はどうもありがとうございました。

注：登場人物の学生である吉永くんは、正直、できすぎです（笑）。通常の面接では、ここまでスムーズに解ける人はなかなかいないだろうと思います。

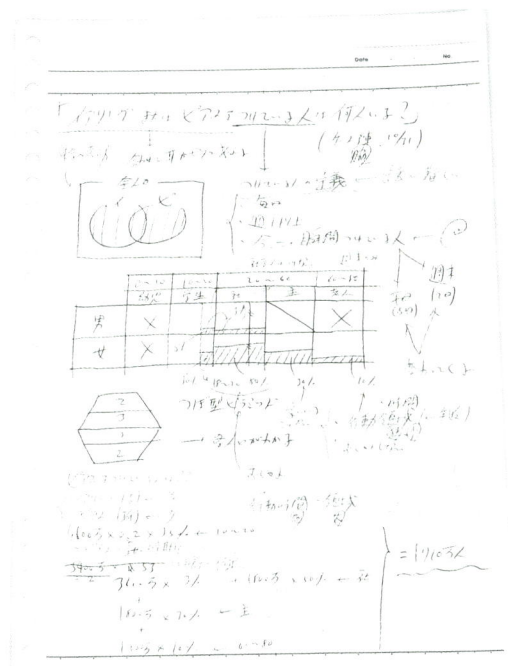

▶実際にフェルミ推定問題を解いた際のルーズリーフ。本書で紹介したテクニックを多く活用している。ていねいに書くというよりは、スピード重視で書いていった。

コラム①
フェルミ推定は実生活に役立つ!

　フェルミ推定の例題ないし練習問題として本書に載せたものは、一見すると日常生活でとくに必要とされない問いのように思われます。たとえば、「日本における電柱の数」を聞かれることは、普通に生活しているかぎり、おそらく一生のうちに1度あるかないかくらいでしょう (笑)。

　しかし「はじめに」でも述べたように、「フェルミ推定のよいところ」は、ワケのわからない質問に答えられることそれ自体にあるのではなく、論理的かつ効率的に思考できる力、いわゆる「地頭力」を鍛えられるところにあるのです。

　実際の例として、私の就職活動における話を少し書こうと思います。

　みなさんご存知のように、就職活動では、「弊社を志望する理由はなんですか?」という、志望動機に関する質問が定番となっています。そして、就職活動に臨む学生ないし社会人は、相手に響くような志望動機に頭を悩ませるのが常であろうと思います。

　一方で私の場合、やたらとフェルミ推定などの「ケース問題」をやり込んでいたものですから、なにかと論理的に (モレなくダブりなく) 分析する癖がついていました。そこで私は、就職活動の面接に臨む前に、志望動機のパターンを論理的に分析してみました。その結果が以下の図となります (本来ならば、「その会社が属する業界」→「その会社」→「その会社の中でとくに入りたい部門」の別に説明すべきですが、ここではかなり単純化してあります)。

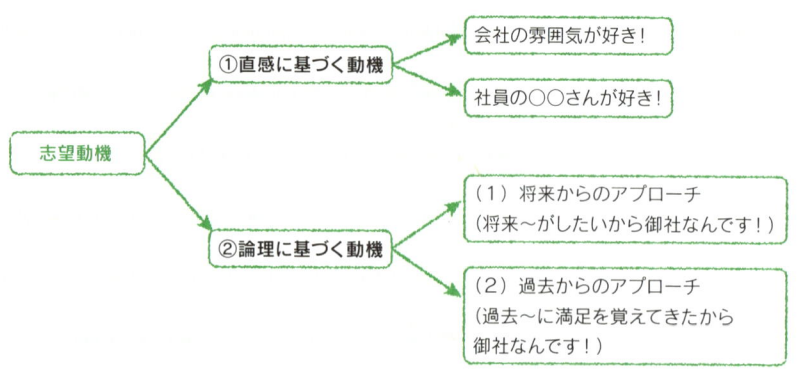

ここで志望動機は、まず、「①直感に基づく動機」と「②論理に基づく動機」に分けられます。前者は、要するに「論理的には理由を説明できない！」たぐいの志望動機です。直接的には「なぜ好きか」という理由を説明できないので、「いつ、どこで、どのようにして会社あるいは特定の社員さんを好きになったか」という話をすることになります。

　他方で、後者の「②論理に基づく動機」には2つあります。1つは「（1）将来からのアプローチ」。たとえば、「将来、優れた経営者になるために戦略コンサルで働きたい！」といったものです。また、もう1つは「（2）過去からのアプローチ」であり、たとえば、「これまで頭を働かせることに満足を覚えてきたから、頭を使う戦略コンサルで働きたい！」といった動機があるでしょう。

　まあ正直なところ、図の4パターンをすべて面接で話すわけではないのですが、論理的かつ網羅的に自分の志望動機を分析することで「自分はなにがしたいのか」「どこで働きたいのか」といった点が明確になりました。それもこれも、フェルミ推定の問題を解くことで、論理的な思考力が向上したからだと思います。

　このように、フェルミ推定は実生活の中での思考力を鍛える「トレーニングツール」になっています。「電柱の数なんて、自分には関係ないや」などと考えないで、ぜひ真剣に取り組んでみてください。

PART 2

6＋1パターン15問のコア問題で、
地頭を効率的に鍛える！

PART2では、右の15問のコア例題を解説します。これを一通り理解すれば、ほとんどのフェルミ推定問題に対応できます。すぐに解説・解答を見るのではなく、少しでもいいので自分で考えてみると、より高い効果が得られます。
なお、筆者の主観によるところが大きいですが、問題ごとに難易度を示しておきました。A、B、Cの順に難しくなっていきます。参考にしていただければ幸いです。

			難易度
例題1	日本にぬいぐるみはいくつあるか？		A
例題2	日本に自動車は何台あるか？		B
例題3	日本にゴミ箱はいくつあるか？		C
例題4	日本に郵便ポストはいくつあるか？		A
例題5	日本にコンビニはいくつあるか？		B
例題6	日本に宅配ピザの店舗はいくつあるか？		B
例題7	日本にスキー場はいくつあるか？		C
例題8	日本にすべり台はいくつあるか？		C
例題9	ぬいぐるみの市場規模は？		B
例題10	新幹線の中のコーヒーの売上は？		A
例題11	自動車の年間新車販売台数は？		C
例題12	スターバックスの売上は？		A
例題13	カラオケの売上は？		B
例題14	タクシー（1台）の1日の売上は？		B
例題15	日本に中華料理店はいくつあるか？		C

例題1 　**日本にぬいぐるみはいくつあるか？**
　　　　個人・世帯ベースでストックを求める問題

難易度 A

＜前提確認＞

　簡単化のため、店頭で売られている在庫や市場に流通していない在庫は除き、現在消費者に所有されているもののみに限定して考えることにします。

　また、ぬいぐるみの所有主体として考えられるのは個人か法人ですが、最初の例題ですので、ここでは個人が所有しているぬいぐるみに範囲を限定することとします。

＜アプローチ設定＞

　日本におけるぬいぐるみの数は、

　日本の人口×平均所有率×1人あたりの平均所有数

で求めることができます。

＜モデル化＞

　日本の人口を「男女」と「年齢」の2軸でセグメントに分け、各セグメントの左側に所有率を、右側に1人あたりのぬいぐるみ所有数を、自分の実感をベースに書き込んでいきましょう。われわれの実感で記入した結果、次の表のようになりました。

　なお、数値の大きさ、あるいは大小関係についての根拠を書き加えておきました。

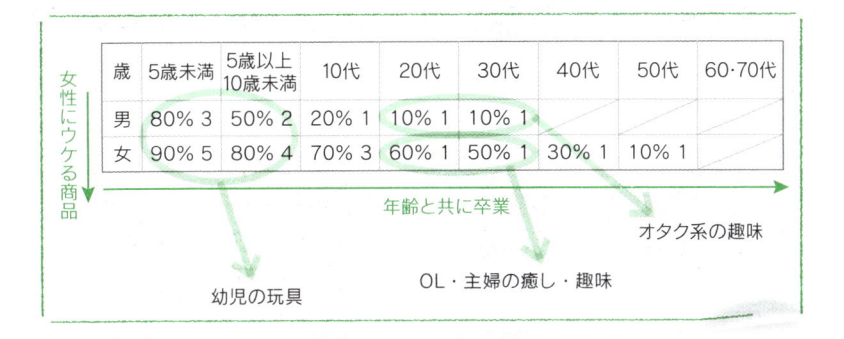

歳	5歳未満	5歳以上10歳未満	10代	20代	30代	40代	50代	60・70代
男	80% 3	50% 2	20% 1	10% 1	10% 1			
女	90% 5	80% 4	70% 3	60% 1	50% 1	30% 1	10% 1	

女性にウケる商品

年齢と共に卒業

幼児の玩具　　OL・主婦の癒し・趣味　　オタク系の趣味

　ここで、各セグメントの人口を求める必要があります。このようなときに使えるテクニックとして、「つぼ型の人口ピラミッド」をご紹介しましょう。重要テクニックですので、下の図を見て、しっかりと理解してください。

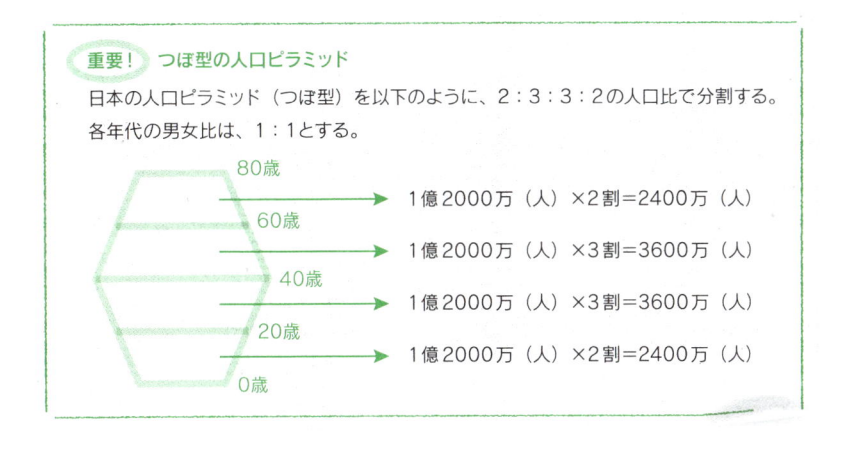

重要！　つぼ型の人口ピラミッド

日本の人口ピラミッド（つぼ型）を以下のように、2：3：3：2の人口比で分割する。
各年代の男女比は、1：1とする。

80歳 → 1億2000万（人）×2割＝2400万（人）
60歳 → 1億2000万（人）×3割＝3600万（人）
40歳 → 1億2000万（人）×3割＝3600万（人）
20歳 → 1億2000万（人）×2割＝2400万（人）
0歳

　「つぼ型の人口ピラミッド」を仮定することで、0～20歳と60～80歳の世代の1歳あたりの男女別人口は60万人（(2400万人/20歳)÷2）、20～60歳の世代の1歳あたりの男女別人口は90万人（(3600万人/20歳)÷2）とわかります。この数値を利用して、世代・男女別人口を表す次の表を作ることができます。

歳	5歳未満	5歳以上10歳未満	10代	20代	30代	40代	50代	60・70代
男	300万	300万	600万	900万	900万	900万	900万	600万
女	300万	300万	600万	900万	900万	900万	900万	600万

<計算実行>

日本におけるぬいぐるみの数は、前出の2つの表を組み合わせることで、

男性：300万（人）×80％×3（個）＋300万（人）×50％×2（個）
＋600万（人）×20％×1（個）＋900万（人）×10％×1（個）
＋900万（人）×10％×1（個）
＝1320万個

女性：300万（人）×90％×5（個）＋300万（人）×80％×4（個）
＋600万（人）×70％×3（個）＋900万（人）×60％×1（個）
＋900万（人）×50％×1（個）＋900万（人）×30％×1（個）
＋900万（人）×10％×1（個）
＝4920万（個）

と計算できます。これより、日本のぬいぐるみの数は、

1320万（個）＋4920万（個）≒6200万（個）

と計算できました。

<現実性検証>

日本の人口の半数程度の値になりました。人口の計算はそれほど誤りがないと思われますので、もし誤差が生じるとすれば、ぬいぐるみ所有率や

1人あたりの平均所有数の値に原因があるだろうと推測できます。

練習問題 1　日本にピアスはいくつあるか？　**難易度 A**

ヒント：そもそもピアスとは何？　またピアスを所有している層はどんな層でしょう？

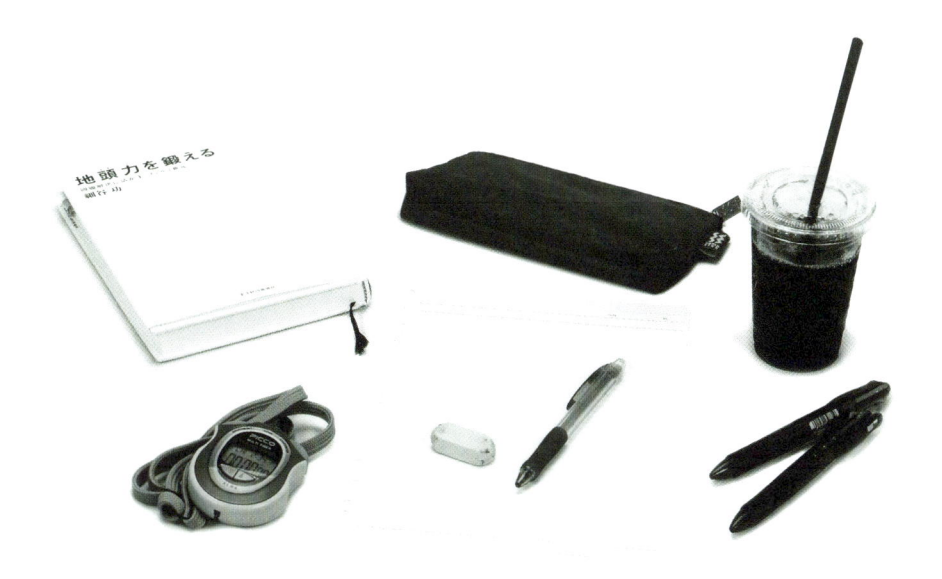

▲筆者がフェルミ推定問題を解く際の必須7点セット。ルーズリーフ、消しゴム、シャーペン、4色ボールペン、ストップウォッチ、『地頭力を鍛える』、そしてスタバのアイスコーヒー。

PART 2　6+1パターン15問のコア問題で、地頭を効率的に鍛える！

例題2　日本に自動車は何台あるか？
個人・世帯ベースでストックを求める問題

難易度 B

<前提確認>

　自動車には家庭用（世帯所有）と業務用（法人所有）がありますが、ここでは家庭用の自動車に限定して考えていきます。

<アプローチ設定>

　日本における自動車の数は、

　　世帯数×平均所有率×1世帯あたりの平均所有台数

で求めることができます。

<モデル化>

　次に、全世帯をセグメントに分ける軸を考えましょう。
　まず、バスや電車などの公共交通機関の整備度合によって車の必要性は変わってきますから、都会・田舎という軸が重要だと思われます。さらに車は高価ですから、所有率、所有台数は世帯年収にも比例すると考えられます。
　ここでは、世帯年収と世帯主の年齢との間に相関があると考え、都会と田舎ごとにそれぞれの年代の所有率、所有台数を次の表のように仮定しました。

	世帯主年齢	20代	30代	40代	50代	60~70代	
都会	所有率	10%	30%	50%	70%	50%	外出頻度の低下を考え、所有率を少し下げた
	所有台数	1	1	1.2	1.2	1.2	
田舎	世帯主年齢	20代	30代	40代	50代	60~70代	10世帯に2世帯が2台保有していると仮定して、平均所有台数を仮定した
	所有率	60%	70%	80%	90%	80%	
	所有台数	1	1	1.2	1.2	1.2	

都会と田舎の人口比は1:1と仮定します(実際に都会を東京、神奈川、埼玉、千葉、名古屋、大阪、京都、福岡として人口を足すと、ほぼ日本の人口の半分となります!)。

世帯人数は田舎のほうが多いと考え、都会の平均世帯人数を2.5人、田舎の平均世帯人数を3.5人と仮定して都会・田舎の世帯数を求めると、

都会:6000万(人)÷2.5(人/世帯)=2400万(世帯)
田舎:6000万(人)÷3.5(人/世帯)≒1700万(世帯)

となります。

次に、世帯主の年齢別の世帯割合を考えましょう。都会のほうが若年世帯数が多いと仮定して、年齢別の世帯割合を以下のように仮定します。

世帯主年齢	20代	30代	40代	50代	60~70代	計
都会	20%	20%	25%	25%	10%	2400万世帯
田舎	15%	15%	20%	25%	25%	1700万世帯

→ 都会・田舎それぞれについて世帯主の年齢別の世帯数がわかる

<計算実行>

これで準備が整いました。

たとえば都会の**20代世代の所有台数**は、

都会の世帯数×**20代世帯の割合**×**平均所有率**×**平均所有台数**
＝2400万（世帯）×20％×10％×1（台）

で計算できます。2つの表を用いてすべての世代について計算し、それを足し合わせれば自家用車数が計算できますので、

都会：2400万（世帯）×20％×10％×1（台）
　＋2400万（世帯）×20％×30％×1（台）
　＋2400万（世帯）×25％×50％×1.2（台）
　＋2400万（世帯）×25％×70％×1.2（台）
　＋2400万（世帯）×10％×50％×1.2（台）
　＝1200万（台）

田舎：1700万（世帯）×15％×60％×1（台）
　＋1700万（世帯）×15％×70％×1（台）
　＋1700万（世帯）×20％×80％×1.2（台）
　＋1700万（世帯）×25％×90％×1.2（台）
　＋1700万（世帯）×25％×80％×1.2（台）
　≒1500万（台）

よって、自家用車数は、

都会：1200万（台）＋**田舎**：1500万（台）＝2700万（台）

となります。

<現実性検証>
　自動車検査登録情報協会（財）によれば、平成20年9月での登録自家用車台数は5782万台でした。実際の数字よりもかなり少ない推定値になってしまったのは、都会での所有率を低く見積りすぎたことが原因かもしれません。

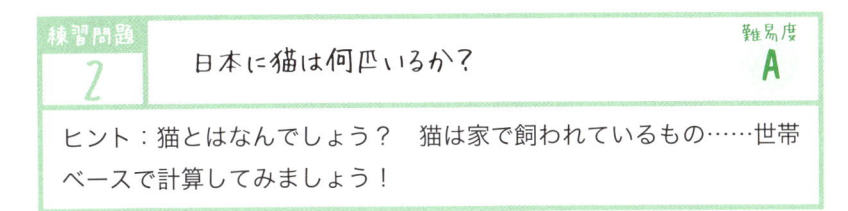

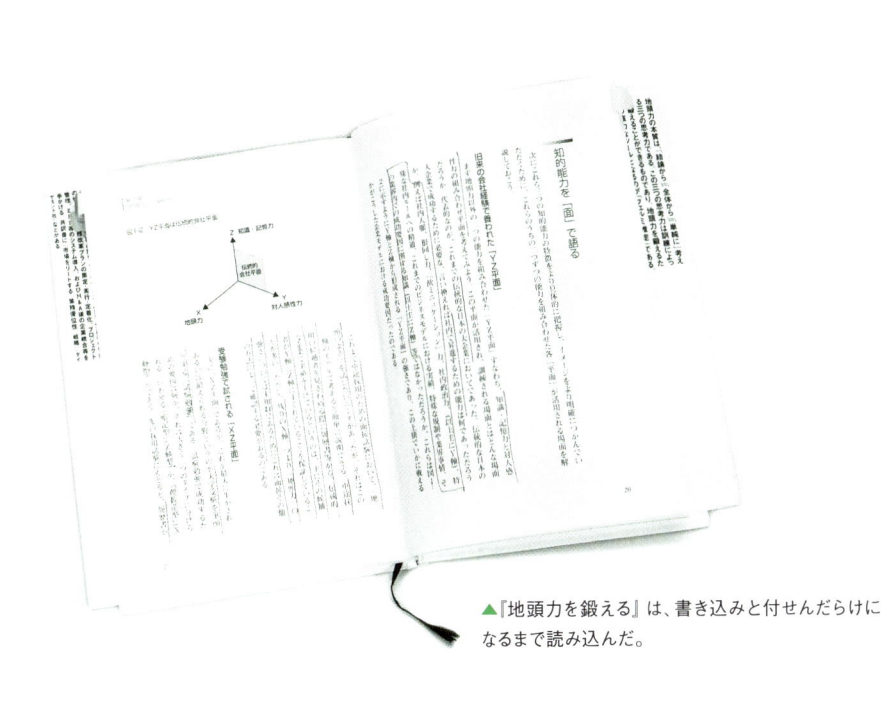

練習問題 2　日本に猫は何匹いるか？　難易度 A

ヒント：猫とはなんでしょう？　猫は家で飼われているもの……世帯ベースで計算してみましょう！

▲『地頭力を鍛える』は、書き込みと付せんだらけになるまで読み込んだ。

PART 2　6＋1パターン15問のコア問題で、地頭を効率的に鍛える！

例題 3 日本にゴミ箱はいくつあるか？
法人ベースでストックを求める問題

難易度 C

<前提確認>

「ゴミ箱」を分類すると次のようになります。

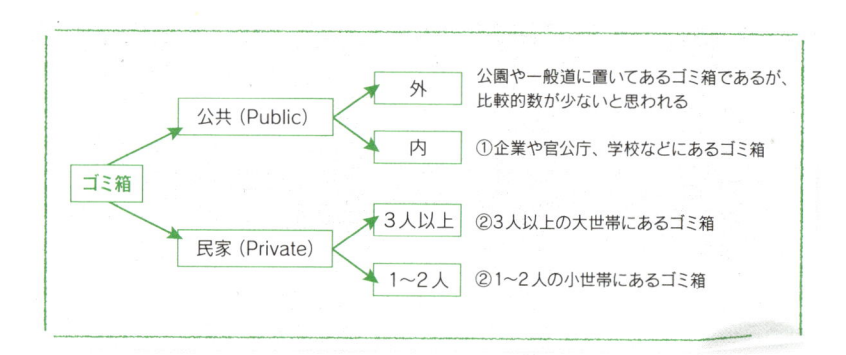

```
ゴミ箱 ─┬─ 公共 (Public) ─┬─ 外 : 公園や一般道に置いてあるゴミ箱であるが、
        │                  │      比較的数が少ないと思われる
        │                  └─ 内 : ①企業や官公庁、学校などにあるゴミ箱
        │
        └─ 民家 (Private) ─┬─ 3人以上 : ②3人以上の大世帯にあるゴミ箱
                           └─ 1〜2人  : ②1〜2人の小世帯にあるゴミ箱
```

ここでは「だれがゴミ箱を所有しているか」という観点に基づいて、①を**法人ベース**、②を**世帯ベース**で考えることにしましょう。

<アプローチ設定>

①法人ベース

法人は、社会人が所属する会社（官公庁、NPO、NGOなども含むものとします）と、主に学生が所属する学校に大別できます。

法人が所有するゴミ箱の数は、

会社の数 × 会社あたりのゴミ箱の数
＋ 学校の数 × 学校あたりのゴミ箱の数

で求められます。

②世帯ベース

　世帯の人数に応じて、ゴミ箱の数が違ってくると考えられるので、ざっくり、1～2人の小世帯と、3人以上の大世帯に分けて考えることにします。
　世帯が所有するゴミ箱の数は、

小世帯の数×小世帯あたりのゴミ箱の数
＋大世帯の数×大世帯あたりのゴミ箱の数

で求められます。

<モデル化>
①法人ベース
●会社

　日本全国の会社の数を知っていれば話は早いのですが、知らなかったとしても、下記のように求めることができます。

会社の数＝日本の生産者人口÷会社あたりの平均人数

　また、20～60歳の1歳あたりの人口を180万人とし（p.37「つぼ型の人口ピラミッド」参照）、女性90万人のうち半分が専業主婦だと仮定して除くと、日本の生産者人口は、

180万（人）×40（年）－90万（人）×50％×40（年）
＝5400万（人）

と計算できます。

　次に、会社あたりの平均人数を求めましょう。
　会社の9割が10人の小会社、1割が100人の大会社と仮定すると、加重平均をとって、各会社の平均人数は約20人と計算できます（10（人）×90

%＋100（人）×10％）。

以上より、会社の数は、

5400万（人）÷20（人）＝270万（社）

と計算することができます。

また、会社あたりのゴミ箱の数は、実感ベースで2人に1つのゴミ箱があると仮定して、

20（人）÷2（人）＝10（個）

としました。

●学校
次に、学校の数を求めましょう。学校の数は、

学校の数＝学生人口÷学校あたりの平均人数

で求めることができます。

学生人口は、6〜20歳の1歳あたりの人口を120万人と仮定して、

120万（人）×15（年）＝1800万（人）

と計算できます。

また、小学校6年、中学校3年、高校3年、大学4年の間をとって4年とし、1学年100人とすると、学校あたりの平均人数は、

100（人）× 4 = 400（人）

と計算できます。

以上より、学校の数は、

1800万（人）÷ 400（人）= 4万5000（校）

であることがわかりました。
また、学校あたりのゴミ箱の数は、実感ベースで20人に1つのゴミ箱があると仮定し、

400（人）÷ 20（人）= 20（個）

とします。

②世帯ベース

小（大）世帯の数は、

小（大）世帯の数 = 全世帯数 × 小（大）世帯の割合

で求められます。

全世帯数は、日本の人口を1億2000万人、世帯平均人口を2.5人（簡単化のため、3人とする場合も多い）とすると、

1億2000万（人）÷ 2.5（人）= 4800万（世帯）

となります。

また、小（大）世帯の割合は実感ベースで、1人世帯30％、2人世帯30％、3人以上世帯40％と仮定すると、

小世帯の割合＝60％
大世帯の割合＝40％

と求められます（現実性検証を参照）。
以上より、

小世帯の数＝4800万（世帯）×60％≒2900万（世帯）
大世帯の数＝4800万（世帯）×40％≒1900万（世帯）

と計算することができます。

また、それぞれの世帯におけるゴミ箱の数について、実感ベースで、

小世帯あたりのゴミ箱の数＝1個
大世帯あたりのゴミ箱の数＝3個

と仮定しました。

＜計算実行＞

あとは、ここまでで求めてきた数値をもとに、手際よく計算していきましょう。

①法人ベース

法人が所有するゴミ箱の数は、

270万（社）×10（個/社）＋4.5（万校）×20（個/校）
≒2800万（個）

②世帯ベース

世帯が所有するゴミ箱の数は、

2900万（世帯）×1（個/世帯）＋1900万（世帯）×3（個/世帯）
＝8600万（個）

よって、①②より、日本におけるゴミ箱の数は、

2800万（個）＋8600万（個）
＝1億1400万（個）

となりました。

＜現実性検証＞

国税庁のデータによると、法人数は253万6878社（2004年度）、文科省のデータによると、学校数は4万7912校（2003年度）ですから、実は本文中の会社数と学校数の推定はかなり筋がよいことがわかります。

ちなみに、2005年度の国勢調査によると、世帯数4906万3000のうち、1人世帯29％、2人世帯26％、3人世帯18％、4人世帯15％、5人以上世帯15％でした。1人世帯、2人世帯ともに3割弱であることに注目してください。

練習問題 3　日本にコピー機は何台あるか？　難易度 C

ヒント：まずはコピー機を分類しましょう！　また、コピー機を所有している主体はだれでしょうか？

例題4　日本に郵便ポストはいくつあるか？
面積ベースでストックを求める問題

難易度 A

<前提確認>
　郵便ポストは、一律な郵便サービスを全国に提供するため、日本の各地域に設けられている準公共物です。ここでは、シンプルに面積ベースで考えることにしましょう。

<アプローチ設定>
　日本の郵便ポストの数は、

日本の面積÷ポスト1つあたりの面積

で求められます。

<モデル化>
　日本の面積約38万km^2のうち、3/4を山地、1/4を平地とします。
　また、山地のうち、無人地域がその1/3、有人地域がその2/3を占めると仮定します。
　次に、無人の山地にはポストがないのは当然として、有人山地、平地それぞれにどれくらいの割合でポストがあるかを、実感ベースで仮定しましょう。
　有人の山地では、時速4kmで30分、平地では時速4kmで15分歩けばポストに着けると考え、

　　有人山地（田舎）：2km四方に1つ
　　平地（市街地）：1km四方に1つ

と仮定します（右図参照）。

```
                  3/4    ┌─無人地域─→ 人が住めない山岳地帯（ポストなし）
           ┌─山地─┤  1/3
           │         └─有人地域─→ いわゆる田舎（2km四方に1つと仮定）
   日本──┤            2/3       （時速4kmで歩いて30分で1個のイメージ）
           │  1/4
           └─平地──────────→ 市街地（1km四方に1つと仮定）
                                    （時速4kmで歩いて15分で1個のイメージ）
```

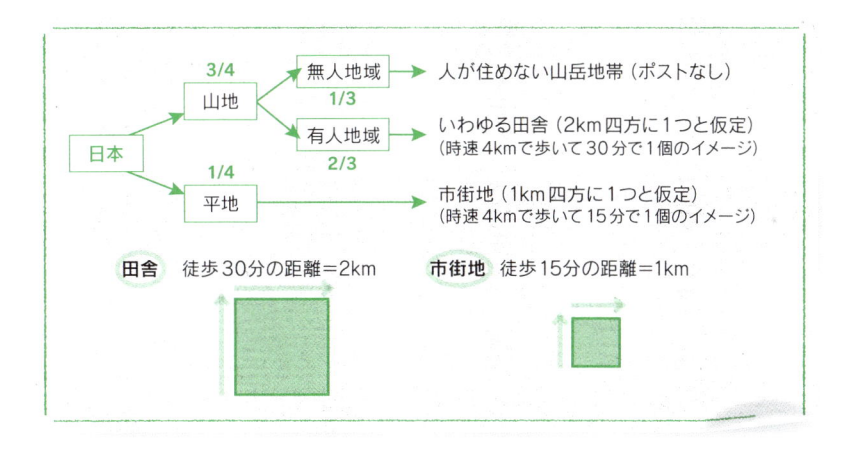

田舎 徒歩30分の距離＝2km　　**市街地** 徒歩15分の距離＝1km

＜計算実行＞

以上より、日本における郵便ポストの数は、

38万（km²）×3/4×2/3÷4（km²/本）＋38万（km²）×1/4÷1（km²/本）
≒14万本

となります。

＜現実性検証＞

日本郵政グループの『ディスクロージャー』誌（2008年）によると、2007年度（最新）の郵便ポストの数は19万2157本でした。悪くない推定精度といえます。

練習問題 4　日本に電柱は何本あるか？　難易度 A

ヒント：超有名問題！　基本的には「郵便ポストの数」と同じ方法で解くことができます！

例題 5 日本にコンビニはいくつあるか？
面積ベースでストックを求める問題

難易度 B

<前提確認>

　コンビニは、人口密度に比例して出店していると仮定できます。そこで、まずイメージしやすい東京のコンビニの数を**面積ベース**で求め、その数を「日本人の総人口/東京都の人口」倍することを考えましょう（東京以外に在住の方は、ご自分の住む都道府県をイメージしていただいたほうがわかりやすいと思います）。

<アプローチ設定>

　日本におけるコンビニの数は、

　東京都のコンビニの数×（日本の総人口/東京都の人口）

で求められます。

<モデル化>
①東京都のコンビニの数
　東京都のコンビニの数は、

　東京都の面積（平地）÷**コンビニ1店あたりの面積**

で求めることができます。

　まず、東京都の面積（平地）を求めましょう。

> **重要！** 東京都の面積
>
> 　南北線で赤羽岩淵から目黒経由で多摩川駅まで約1時間、東西線・JR線で葛西から中野・三鷹経由で奥多摩駅に行くのに約2時間かかります。
> 　電車のスピードを平均時速40kmとすると、東京都は南北方向に40km、東西方向に80kmの長方形と見なすことができますので、
> 　東京都の面積＝40(km)×80(km)＝3200(km²)
> と計算することができます。

　東京都の西1/4は山地なので、平地の面積は、

　3200（km²）×3/4＝2400（km²）

と見なすことができます。
　また、コンビニ1店あたりの面積を次のように仮定します。

- 東京において、コンビニは1駅につき2〜3店ある
- 時速40kmの電車で1駅間隔3分とすると、1駅区間は2km
- 2km四方の4km²中に2.5店（2〜3店の平均値）のコンビニがある

以上より、コンビニ1店あたりの面積は、

　4（km²）÷2.5（店）＝1.6（km²）

と計算できますので、1.6km²あたり1店のコンビニがあるという数値が得られます。

　よって、東京のコンビニ数は、

　2400（km²）÷1.6（km²/店）＝1500（店）

と求めることができました。

②日本の総人口/東京都の人口

次に、「日本の総人口/東京都の人口」を求めましょう。

日本の総人口：1億2000万人
東京都の人口：昼間人口1500万人、夜間人口1200万人の間をとって、1400万人（計算を簡略化するため、昼間人口か夜間人口のどちらか一方を利用することもあります）

以上より、日本の総人口/東京都の人口は、

1億2000万（人）/ 1400万（人）≒ 8.6

と求められました。

<計算実行>

日本におけるコンビニの数は、①②より、

1500（店）×8.6 ≒ 1万3000（店）

と求められます。

<現実性検証>

社団法人日本フランチャイズチェーン協会の『コンビニエンスストア統計調査月報』（2008年）によると、全国のコンビニ数は4万1666店でした。ここで出した数値は、正解の1/3以下の値になってしまいました。都心の繁華街（渋谷、新宿など）ではコンビニが数十店あり、「1駅あたり2～3店」とした仮定が少なかったことに原因があるのかもしれません。

| 練習問題 5 | 日本にスターバックスの店舗はいくつあるか？ | 難易度 B |

ヒント：まずは身近な地域でのスターバックスの数を求めてみましょう！　コンビニと同じく「店の数は人口に比例する」という考え方を使うことができます！

▼こんな感じで、たくさん解いていった。東大生のノートが美しい……かどうかは、読者の判断に任せたい。

> 難易度
> B

例題 6 日本に宅配ピザの店舗はいくつあるか？
面積ベースでストックを求める問題

＜前提確認＞

宅配ピザの店舗は、一定時間内に宅配バイクで到達できるエリアあたりに1店あると考えられます。ここでは、「日本における宅配ピザの店舗数」を、**面積ベース**で求めていきましょう。

＜アプローチ設定＞

日本における宅配ピザの店舗数は、

日本の面積 ÷ 1店舗あたりの面積

で求められます。

＜モデル化＞

①日本の面積

日本の面積約38万km^2を山地と平地に分け、3/4を山地、1/4を平地とし、山地のうち無人地域が1/3、有人地域が2/3を占めると仮定します。

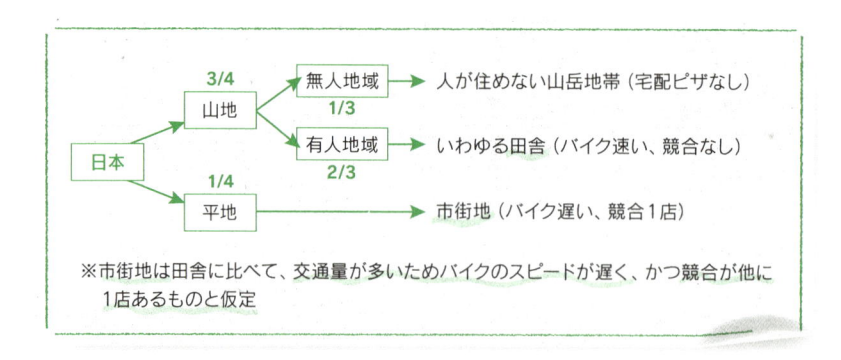

```
                3/4      無人地域  → 人が住めない山岳地帯（宅配ピザなし）
         ┌── 山地 ──┤ 1/3
         │          └ 有人地域 → いわゆる田舎（バイク速い、競合なし）
 日本 ──┤            2/3
         │  1/4
         └── 平地 ───────────→ 市街地（バイク遅い、競合1店）

※市街地は田舎に比べて、交通量が多いためバイクのスピードが遅く、かつ競合が他に
  1店あるものと仮定
```

以上より、田舎・市街地の面積は、それぞれ19万km²、9.5万km²となります。

②1店あたりの面積

1店あたりの面積を求めるにあたって、**田舎・市街地**に分けて次のように考えます。

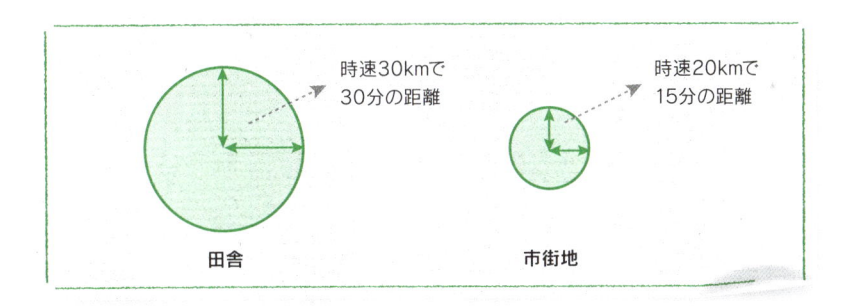

時速30kmで30分の距離　　時速20kmで15分の距離

田舎　　　市街地

田舎において、時速30kmのバイクで30分以内に着ける範囲に宅配ピザ店が1店あるとすると、

15（km）×15（km）×π ≒ 700（km²）

あたりに1店ある計算になります。

市街地において、時速20kmのバイクで15分以内に着ける範囲に2店あるとすると、

5（km）×5（km）×π ≒ 75（km²）

あたりに2店ある計算になります。

＜計算実行＞

日本における宅配ピザの店舗数は、①②より、

（19万（km²）／700（km²））×1（店）
＋（9万5000（km²）／75（km²））×2（店）
≒2800（店）

と求めることができました。

＜現実性検証＞

　宅配ピザ業界シェアのトップ3であるピザーラ（約530店）、ピザハット（約360店）、ドミノピザ（約180店）を足しても、宅配ピザ店は日本に1000店ほどしかなく、試算は現実よりもだいぶ多くなってしまいました。

　上の推定において、市街地の競合がないとすると1500店となり、現実の数にだいぶ近づきます。

　なお、現実には、田舎の占める割合が比較的大きい地域には、宅配ピザの店舗がほとんどないようです。商品のデリバリーというビジネスモデル上、一定以上の人口密度が出店条件になっているのだろうと推測できます。

例：2009年1月現在（各社ホームページより）
　四国：ピザーラ0店　ピザハット4店　ドミノピザ1店
　九州：ピザーラ0店　ピザハット4店　ドミノピザ2店

練習問題 6　日本に消防署はいくつあるか？　難易度 B

ヒント：宅配ピザと同じく一定時間に到達できるエリア内に1つ存在しているはず……

難易度 C

例題7 日本にスキー場はいくつあるか？
ユニットベースでストックを求める問題

<前提確認>
スキー場が存在するには、「雪が降る」という気象条件が必要です。日本列島の地図を思い浮かべて、**都道府県ベース**（ユニットベース）で数えていきましょう。

<アプローチ設定>
日本におけるスキー場の数は、

都道府県あたりのスキー場の平均数 × スキー場が存在する都道府県の数

で求められます。

<モデル化>
日本の都道府県を年間積雪量で分類してみると、以下のようになります。

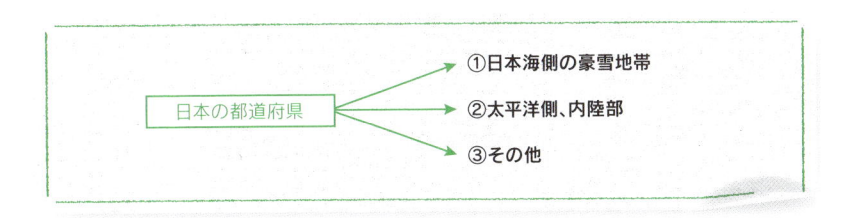

日本の都道府県 →
① 日本海側の豪雪地帯
② 太平洋側、内陸部
③ その他

ここで、面積や降雪量に関する地理的知識と実感・経験をベースに、
①日本海側の豪雪地帯を
北海道（60）、青森（30）、秋田（30）、山形（30）、新潟（40）、富山（30）、石川（30）

②太平洋側、内陸部の地域を
岩手（20）、宮城（20）、福島（20）、長野（20）、岐阜（20）

③その他の沖縄を除いた34の県の山岳部にそれぞれ5つずつスキー場が存在する

と仮定します（カッコ内は各都道府県に存在するスキー場の数）。

＜計算実行＞

日本におけるスキー場の数は、①～③について、それぞれ次のように計算できます。

①日本海側の豪雪地帯は250カ所
②太平洋側、内陸部の地域は100カ所
③その他の地域は170カ所（34×5カ所）

よって、日本におけるスキー場の数は、

250＋100＋170＝520カ所

と計算することができました。

＜現実性検証＞

「スキー場産業に関する動向調査」（2006年、日本自由時間スポーツ研究所）によれば、日本には708のスキー場が存在します。今回は割と筋のよい値を出すことができましたが、各都道府県のスキー場の数の相対的大小関係は面積や年間降雪量という基準でロジカルに示すことができるのに対し、絶対数に関しては個人の実感によらざるを得ません。数値の絶対的規模感の設定が、この問題の難しいポイントといえるでしょう。

なお、この問題は「マクロ需要÷ミクロ供給」の式を解くことによっても求めることができます（例題15参照）。
　つまり、アプローチ設定で、スキー場の数を、

スキー場の年間のべ来場者数÷スキー場1つの年間平均のべ来場者数

とする方法です。余裕のある方はトライしてみてください。

練習問題 7 　世界遺産はいくつあるか？　　難易度 C

ヒント：世界遺産は毎年、ユネスコにおいて各国単位で認定されます。国ベースで世界遺産の数を求めてみましょう！

例題 8 日本にすべり台はいくつあるか？
ユニットベースでストックを求める問題

難易度 C

<前提確認>

すべり台は、学校（小学校と幼稚園）と公園という2つの場所に存在しているものと仮定します。以下では、**学校と公園をベース**（ユニットベース）としてすべり台の数を求めていきましょう。

<アプローチ設定>

日本におけるすべり台の数は、

学校の数×**すべり台存在率（学校）**×**平均存在数（学校）**
＋**公園の数**×**すべり台存在率（公園）**×**平均存在数（公園）**

で求められます。

<モデル化>

①学校の数

ここでの「学校」は、小学校と幼稚園と仮定していますので、学校の数は、

小学校の数＋幼稚園の数
＝小学生人口／小学校の平均児童数＋幼稚園人口／幼稚園の平均園児数

と計算できます。

日本全国の1学年の人口を120万人、1つの小学校で1学年あたり100人の児童がいると仮定すると、小学校の数は、

小学生人口/小学校の平均児童数

= （120万（人）×6）/（100（人）×6）

= 1万2000（校）

と計算できます。

　また、幼稚園には3歳から5歳まで通い、各学年の人口を（少子化を考慮して）110万人、1つの幼稚園に平均100人の園児がいると仮定すると、幼稚園の数は、

幼稚園人口/幼稚園の平均児童数

=（110万（人）×3）/100（人）

= 3万3000（校）

と計算することができます。

　よって、学校の数は、

1万2000（校）＋ 3万3000（校）

= 4万5000（校）

となります。

②存在率・平均存在数（学校）

　敷地面積が狭いためにすべり台がない学校が5校に1校であると仮定して、すべり台存在率（学校）は80％とします。また、平均存在数（学校）は1台とします。

③公園の数

　公園の機能として、大人のリラクゼーション機能と子供の遊び場機能があると仮定します。

　子供の遊び場機能の公園にすべり台が設置されていると考えると、子供

の遊び場機能の公園がこの問題の対象となります。一方で、子供の遊び場機能の公園は、0～10歳の幼児の人口密度に比例して配置されていると仮定します。

ここでは、まず（筆者が）イメージしやすい東京都内の公園数を**面積ベース**で求め、それを幼児の人口比倍することで全国の公園数を求めていきます。

つまり、公園の数は、

東京都内の公園数 ×（全国の幼児人口/東京の幼児人口）

で表されます。

東京都内の公園数は、地理的知識と実感ベースで考えます。1つの区に、小さなものもすべて含めて公園が100カ所あるとすると、都内（23区＋30の市町村）では、

100（カ所）× 53（区市町村）
＝ 5300（カ所）

となります。

全国の幼児人口/東京の幼児人口は、人口ピラミッドより、全国の幼児人口は総人口の10％、若年人口の割合が高いと思われる東京都は15％とすると、

（1億2000万（人）× 10％）/（1200万（人）× 15％）＝ 6.7

と計算できます。

よって、公園の数は、

5300（カ所）×6.7＝3万6000（カ所）

となりました。

④存在率・平均存在数（公園）

あらかじめ遊具のある遊び場公園を想定しているので、存在率（公園）はかなり高いと考えられます。ここでは、90％としましょう。また、平均存在数（公園）は、1台とします。

＜計算実行＞

以上①〜④より、日本におけるすべり台の数は、

学校の数×すべり台存在率（学校）×平均存在数（学校）
＋公園の数×すべり台存在率（公園）×平均存在数（公園）
＝4万5000（校）×80％×1（台）＋3万6000（カ所）×90％×1（台）
＝6万8400（台）

となりました。

＜現実性検証＞
①学校数について

文部科学省が所管する小学校が約2万4000校、幼稚園が約1万3000校、厚生労働省が所管する保育園が2万3000校ですので、3つ足して6万校あります。ここで計算した4万5000校という数字は、それほど現実と離れていない、筋のよい値だといえます。

②公園数について

朝日新聞の記事によれば、国土交通省が所管する全国の都市公園の総数

は約9万3400カ所とのことです。この数は、リラクゼーション機能の公園と遊び場機能の公園の両方を含んでいます。遊び場機能の公園が全国に3万6000カ所という値は、それほど不自然ではないと思われます。

練習問題 8 　東京都に鳩は何羽いるか？　　**難易度 C**

ヒント：鳩はどんなところにいるでしょう？　イメージを膨らませてみましょう！

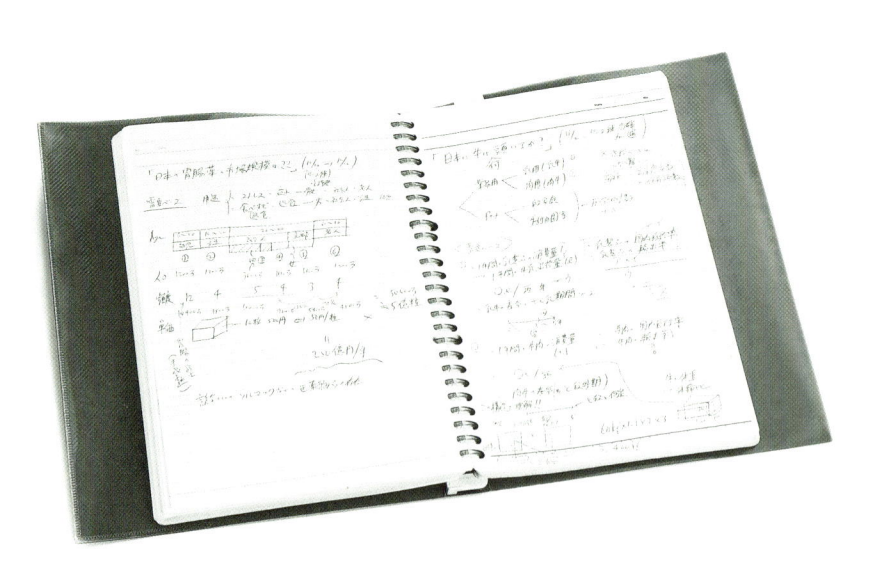

▲1000問以上のフェルミ推定問題を解いたルーズリーフは、すべて1冊のファイルにまとめてある。本書のベースであるとともに、筆者の思い出の一品でもある。

難易度
B

例題 **9**　ぬいぐるみの市場規模は？
マクロ売上を求める問題

＜前提確認＞

ぬいぐるみの市場規模を求めるにあたり、個人が所有しているぬいぐるみに限定して考えます。また、「市場規模」とは、日本での1年間の市場規模のことであるとします。

＜アプローチ設定＞

ぬいぐるみの市場規模は、

ぬいぐるみの平均単価×ぬいぐるみの売上個数

で求められます。
またぬいぐるみの売上個数は、

日本の人口×ぬいぐるみ購入率×1人あたりの年間購入個数

で求めることができます。

＜モデル化＞

日本人を**男女**と**年齢**の2軸でセグメントに分け、各セグメントの上側にぬいぐるみ購入率を、下側に1人あたりの年間購入個数を、実感ベースで書き込んでいきました。

歳	5歳未満	5歳以上 10歳未満	10代	20代	30代	40代	50代	60〜70代
男	80% 0.5	50% 0.3	20% 0.25	10% 0.2	10% 0.2	/	/	/
女	90% 1	80% 0.5	70% 0.3	60% 0.25	50% 0.25	30% 0.2	10% 0.2	/

女性にウケる商品 → 年齢と共に卒業

※ぬいぐるみ購入率はストックの場合のぬいぐるみ所有率と同様に仮定（例題1参照）
※1人あたりの年間購入個数が「0.5個」とは、2年に1回のペースでぬいぐるみを1つ買うということである

＜計算実行＞

ストックの場合と同じように各セグメントの人口を求めて、上の表内の数値とかけ合わせると、次の表のようになります（計算は例題1を参照）。

歳	5歳未満	5歳以上 10歳未満	10代	20代	30代	40代	50代	60〜70代
男	120万	45万	30万	18万	18万	/	/	/
女	270万	120万	126万	135万	113万	54万	18万	/

計1067万個

ぬいぐるみの平均単価を1000円とすれば、ぬいぐるみ市場規模は、

$$1000\,(円) \times 1067万\,(個) \fallingdotseq 107億\,(円)$$

となります。

＜現実性検証＞

矢野経済研究所の「玩具産業における最新市場動向調査結果」による

と、2004年のぬいぐるみ市場規模は200億円だそうです。強いていうならば、1人あたりの年間購入個数をもっと多く設定すべきだったかもしれません。

> **練習問題 9** ピアスの市場規模は？ 難易度 B
>
> ヒント：実は市場規模の求め方にもいろいろあります。自分なりに頭を働かせて考えてみましょう！

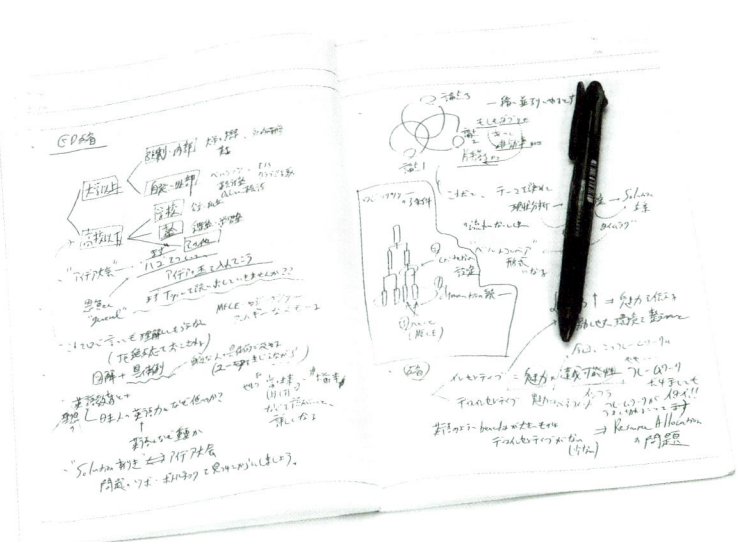

▲筆者のノート。フェルミ推定で鍛えた思考力のおかげで、普段のノートも論理的にとることができるようになった。

例題10　新幹線の中のコーヒーの売上は？
マクロ売上を求める問題

難易度 A

<前提確認>
　新幹線（東海道新幹線の東京〜博多間往復）の1日（平日）における、車内販売でのコーヒーの売上と定義します。

<アプローチ設定>
　新幹線の中の1日のコーヒーの売上は、

1日の新幹線本数 × 新幹線1本あたりの売上

で求められます。

①新幹線本数
　新幹線の本数は、

（新幹線の運行時間/運行間隔）× 2（往復分）

で計算できます。ここでは、新幹線の運行時間を、朝（6〜10時）・昼（10〜18時）・夜（18〜22時）に分けて考えていきましょう。

②新幹線1本あたりの売上
　新幹線1本あたりの売上は、

車両席数 × 占有率 × 車両数 × 回転率 × コーヒー購入率 × コーヒー単価

となります。

ここでは、常識的に考えて、1人あたりの購入数は最大1杯とします。また、回転率とは、始発駅から終着駅までの時間を乗客の平均乗車時間で割ったものです。たとえば、東京・博多間が6時間かかるとして、乗客の平均乗車時間が3時間だとすれば、回転率は6÷3＝2回転となります。

<モデル化>

それぞれの要素に数字を代入していくと以下のようになります。

	新幹線本数	車両席数	占有率	車両数	回転率	購入率	単価	売上
朝（6〜10時）	12本	100	20%	12	2	8%	300円	14万円
昼（10〜18時）	48本	100	80%	12	2	5%	300円	138万円
夜（18〜22時）	16本	100	50%	12	2	5%	300円	29万円

　　　　　　　　　　　　　実感ベースでよい　　上で示したように仮定　　朝は眠い

①新幹線本数

　新幹線は、朝は40分おき、昼は20分おき、夜は30分おきに発車すると仮定し、新幹線本数を以下のように計算しました。

朝：（4時間／40分）×2＝12本

昼：（8時間／20分）×2＝48本

夜：（4時間／30分）×2＝16本

<計算実行>

　以上より、表の右側の時間帯ごとの総売上を足し合わせると、1日の売上は、

朝：14万（円）＋昼：138万（円）＋夜：29万（円）

≒180万（円）

となります。

<<現実性検証>
　スタバの1店あたりの1日の売上が約30万円程度ですので、上で求めた新幹線の中でのコーヒーの売上はスタバ約6店分に相当すると感覚的に把握できます。

練習問題 10　割り箸の年間消費数は？　難易度 B

ヒント：割り箸を使うのは個人です。個人でもどんな人が割り箸をよく使うでしょうか？　またどんな場合に割り箸を使うでしょう？

例題11 自動車の年間新車販売台数は？
マクロ売上を求める問題

難易度 C

<前提確認>

　ストックの場合と同様に、ここでも国内の自家用車に限定して「自動車の年間新車販売台数」を求めます。また、自家用車は主に世帯主の名義で登録しており、世帯ベースで考えるのが適していると考えられます。なお、この問題は販売台数を求める問題ですが、マクロ売上を求めるプロセスとしてとらえることができます。

<アプローチ設定>

　自動車の年間新車販売台数は、自動車の需要を新規（初めて買う）と買い替え（古いものに替えて新しい自動車を買う）に分けて考えて、

　　新規購入数＋買い替え数

で求めることができます。

　新規購入数と買い替え数は次のように求められます。

　①新規購入数＝世帯数×新規購入率×平均購入数（1台と仮定）
　②買い替え数＝（ストック/耐用年数）×追加購入率（100％と仮定）
　　　　　　　×平均購入数（1台と仮定）

　ここで追加購入率を100％と仮定したのは、自家用車は生活にほぼ不可欠な耐久消費財であり、耐用年数が経過したらかならず買い替えると考えられるからです。

<モデル化>

①新規購入数

日本の世帯は**都会・田舎**という2つのセグメントに分けることができます。

また、車の新規購入率は世帯主年齢に比例すると考えられます。これは、車は高価なものであるため、新規購入率は世帯年収に比例し、また、世帯年収は世帯主年齢に比例すると考えられるからです。

都市・田舎と**世帯主年齢**の2つの軸に基づき、以下のような表を作成します。

世帯主年齢	20代	30代	40代	50代	60〜70代
都会 新規購入率	10%/10年	20%/10年	20%/10年	20%/10年	20%/20年
田舎 新規購入率	60%/10年	10%/10年	10%/10年	10%/10年	10%/20年

田舎では車が必要

※この表では、都会の20代では毎年1%が車を新規購入すると仮定している。20代で車を新規購入する割合を10%としており、20代のうちの1年間で車を新規購入する割合は、10%÷10(年)＝1%となる。

また、世帯数は**世帯主**の各世代別割合を示した次の表から求められます（例題2を参照）。

世帯主年齢	20代	30代	40代	50代	60〜70代	計
都会	20%	20%	25%	25%	10%	2400万世帯
田舎	15%	15%	20%	25%	25%	1700万世帯

以上2つの表から、各世代での車の新規購入数が求められます。

②買い替え数

　　ストック数＝2700万台（例題2を参照）
　　耐用年数＝10年

と仮定します。

<計算実行>
①新規購入数

　以上より、新規購入数は以下の表のように計算できます。

世帯主年齢		20代	30代	40代	50代	60～70代	計
都会	新規購入数	4.8万	9.6万	12万	12万	2.4万	40.8万
田舎	新規購入数	15.3万	2.55万	3.4万	4.25万	2.13万	27.6万

　この表より、新規購入数は、

　都会：40.8万（台）＋**田舎**：27.6万（台）≒68万（台）

となります。

②買い替え数

　また、買い替え数は、

　2700万（台）÷10（年）＝270万（台）

となります。

　よって、自動車の年間新車販売台数は、①②より、

68万（台）＋270万（台）≒340万（台）

と計算できました。

<現実性検証>

（社）日本自動車販売協会連合会のデータによると、2008年の新車販売台数は508万2133台です。割と筋のよい値が得られましたが、小さく見積もってしまった原因として、買い替え数の計算において、例題2で求めたストック数2700万台をそのまま使ってしまったことが大きいと思われます（実際の2008年9月の登録自家用車台数は5782万台）。

練習問題 11 マッサージチェアの市場規模は？　難易度 B

ヒント：マッサージチェアを所有している主体は？　また購入のパターンにはどのようなものがあるでしょう？

例題12 スターバックスの売上は？
ミクロ売上を求める問題

難易度 A

<前提確認>
　ここでいうスタバの売上とは、特定の1店舗の1日の売上を指しているものとします。ここでは、筆者がよく利用する本郷三丁目のスタバをイメージします。さらに、売上は滞在客と持ち帰り客の2つから構成されるものとします。グッズ販売やデリバリーサービスによるものは絶対額が少ないと考え、売上から除きました。

<アプローチ設定>
　スタバの1日の売上は、

客単価×客数

で求められます。
　また、客数は、

キャパシティ×稼働率×回転率×営業時間

で求められます。

　ただし、ここで注意しなければならないのは、滞在客と持ち帰り客を分けて客数を求めなければならない点です。
　よって、キャパシティ×稼働率×回転率の部分をやや変え、次のような式を置きます。

客数
= (滞在客数×**回転率**+**持ち帰り客数**(1時間あたり))×**営業時間**
※持ち帰り客については、回転率を考慮しなくともよい

<モデル化>

スタバは時間帯によって混み具合が異なり、客の食べるものも異なります。ですので、上式の各要素の数字が異なってくる時間帯別に場合分けするのがいいでしょう。

ここで、下のような表を作成します。

時間帯	客単価	滞在客数	回転率	持ち帰り客数(1時間あたり)	売上
朝　　(8〜11時) 3時間	400円	20人	1	4人	2万8800円
昼　　(11〜13時) 2時間	700円	50人	2	30人	18万2000円
午後 (13〜18時) 5時間	600円	30人	0.5	3人	5万4000円
夜　　(18〜22時) 4時間	400円	20人	1	4人	3万8400円

この表の数字は、以下の仮定に基づいて計算しました。

①客単価

朝と夜はコーヒー(ドリンク)が中心で客単価が安いため、400円としました。

昼は昼飯としてパン類、午後はおやつとしてケーキ・クッキー類が多く売れることを考えて、それぞれ客単価を700円・600円としました。

②滞在客数

これは店の全席数(キャパシティ)が60人(実感ベース)であることを考えて、各時間帯にどのくらいの席が埋まっているかを想像しておいた数値です。

朝と夜は、1/3、昼は8割以上、午後は半分が埋まっていると仮定しました。

③回転率

回転率は滞在時間の逆数です。たとえば、回転率0.5の時間帯は客の平均滞在時間が2時間になります。

昼の客は昼休みの間に来て昼飯代わりに利用していくため、滞在時間が30分（回転率2）であり、午後の客は雑談・勉強などで長居するため、滞在時間は2時間（回転率0.5）であるとしています。

④持ち帰り客数

持ち帰り客数については回転率という概念が存在しないので、来店する滞在客数の一定割合が持ち帰り客数であると仮定しています。

具体的には、朝には20×1＝20人の2割の4人、昼には50×2＝100人の3割の30人、午後には30×0.5＝15人の2割の3人、夜には20×1＝20人の2割の4人が1時間あたりの持ち帰り客数であるとしました。昼は混んでいるため、持ち帰りが多いと仮定しています。

＜計算実行＞

スタバの1日の売上は、上の表の小計を足していくと、

2万8800（円）＋18万2000（円）＋5万4000（円）＋3万8000（円）
≒30万（円）

となります。

＜現実性検証＞

本郷三丁目のスタバと同規模の店舗であり、商品や価格帯が似ているタリーズの店舗でアルバイトする友人によれば、1日の売上高は20〜30万円だそうです。

滞在客と持ち帰り客の客単価に変化をつけたり平日と休日の場合分けをしたりすれば、より正確さが増すと思われます。

練習問題 12 丸の内のラーメン店の売上は？　　難易度 **A**

ヒント：丸の内は東京のオフィス街です。オフィス街の状況をイメージしながら数値を置いていきましょう！

例題13 カラオケの売上は？
ミクロ売上を求める問題

難易度 B

<前提確認>
　カラオケの売上とは、カラオケボックス1店舗の1日の売上を指しているものとします。ここでは、筆者がイメージしやすい渋谷にあるカラオケ店を想定します。なお、簡単化のため、カラオケボックスの売上は時間あたりの利用料金のみとし、料理やドリンク、その他各種サービスは除くことにします。

<アプローチ設定>
　カラオケの売上は、

客単価×客数

で基本的に求めることができます。
　また客数は、

キャパシティ×稼働率×回転率

で求められます。
　ただし、カラオケの売上の場合には、

キャパシティ＝部屋数×部屋あたりの人数

で置き換えられると考えます。

<モデル化>

カラオケボックスは時間帯によって混み具合や客単価が違ってくるので、時間帯別に場合分けしましょう。ただし、滞在時間に比例して料金が加算されていくという点に注意してください。

ここで、以下のような表を作成します。

時間帯	客単価	部屋数	稼働率	部屋あたり人数	回転率	売上
朝・昼 (10〜16時) 6時間	300円/h×1h	50	40%	2人	1	7万2000円
午後 (16〜18時) 2時間	300円/h×2h	50	60%	3人	0.5	5万4000円
夜 (18〜23時) 5時間	1000円/h×2h	50	100%	4人	0.5	100万円
深夜 (23〜2時) 3時間	1000円/h×3h	50	80%	2人	1/3	24万円

表の数字は、以下の仮定に基づいて設定されています。

①**客単価**

滞在時間に比例した利用料金のみかかると仮定しています。ここでは、18時以前は1時間300円、18時以降は1時間1000円と仮定しました。

②**部屋数**

1フロアあたりの部屋数が10部屋、それが5フロアあると仮定し、全50部屋と計算しました。

③**稼働率**

朝・昼と午後はあまり混んでおらず（それぞれ40％、60％）、夜は満員（100％）で、深夜もかなり混んでいる（80％）ことが多いと仮定しました。これは、筆者の実感ベースの数字です。

④部屋あたりの人数

　朝から夜にかけては、1人客が減って、徐々にグループ客が増えてくると仮定しました。深夜はカップルや1人客が多いので、2人としました。

⑤回転率

　回転率は、滞在時間の逆数です。滞在時間を、朝・昼は1時間、午後・夜は2時間、深夜は3時間と仮定しました。

<計算実行>

　カラオケの売上は、上の表の小計を足し合わせると、

7万2000（円）＋5万4000（円）＋100万（円）＋24万（円）
≒140万（円）

になります。

<現実性検証>

　アンケート調査によれば、全国平均の1部屋あたりの月間売上は31.3万円です。これを30日で割ると1部屋1日あたり1.04万円になります。これより、本問のような50部屋を保有するカラオケボックスの1日あたりの売上は、1.04×50部屋＝52万円となります。

　立地条件のよい渋谷のカラオケボックスを想定しているため、140万円という答えもそれほど非現実的な数字ではないだろうと思われます。

練習問題 13　ゲームセンターの売上は？　難易度 B

ヒント：ゲームセンターでのキャパシティは「ゲーム機の数」に相当します。また、客層はどのように仮定できるでしょう？　身近にあるゲームセンターをイメージしましょう！

例題14 タクシー（1台）の1日の売上は？
ミクロ売上を求める問題

難易度 B

<前提確認>
　東京のタクシー運転手が、1日の労働においてどれだけの売上をあげるかを求めることにします。

<アプローチ設定>
　タクシーの1日の売上は、

　受注単価 × 受注回数

で求められます（基本的には店舗の売上と同様の「ミクロ売上」の問題ですが、キャパシティ（席数）や稼働率といった概念がないことに注意してください）。

<モデル化>
　時間帯によって、客の移動目的・乗車時間が変わってくるので、それによって単位時間あたりの受注回数や受注単価も変わってくると考えられます。
　ですので、時間帯によって場合分けをし、右ページのような表を作成しました。

時間帯			平均乗車時間	受注単価	受注回数	売上
朝	（6〜9時）	3時間	30分	4400円	2回	8800円
昼	（9〜12時）	3時間	5分	800円	6回	4800円
午後	（12〜15時）	3時間	5分	800円	6回	4800円
夕方	（15〜18時）	3時間	5分	800円	6回	4800円
夜	（18〜21時）	3時間	30分	4400円	2回	8800円
深夜①	（21〜24時）	3時間	30分	4400円	2回	8800円
深夜②	（24〜3時）	3時間	1時間	8900円	1回	8900円

この表は、次のような仮定に基づいています。

①平均乗車時間

朝と夜、深夜①②は通勤用、昼・午後・夕方は比較的短い距離の移動に利用されていると仮定しています。通勤は30分とし、とくに終電後の深夜②は1時間としました。比較的短い距離の移動には5分かかると仮定しています。

②受注単価

受注単価は、

基本料金＋距離（乗車時間に比例）に応じた追加料金

と設定できます。

簡単化のため、タクシーチケットなどの割引料金は無視しました。

また、初乗り2kmの基本料金を500円、1kmごとに300円が加算されていくと仮定しています。時速30km/hとすれば、4分までが基本料金500円、それ以降は2分ごとに300円ずつ加算されていくことになります。

③受注回数

3時間に乗客を乗せる回数を指します。平均乗車時間が短いほど、受注回数は多く設定しています。

<計算実行>

タクシーの1日の売上は、上の表の小計を足し合わせて、

8800（円）＋4800（円）＋4800（円）＋4800（円）＋8800（円）
＋8800（円）＋8900（円）
≒5万（円）

となります。

<現実性検証>

東京タクシー協会がまとめた輸送実績（2008年）によると、東京のタクシー1台が1日に得られる営業収入（日車営収）は4万3147円（税込み）だそうです。

割と筋のよい値が得られましたが、やや多くなってしまった原因として、

- 料金設定を高く見積もった可能性
- 平均乗車時間を高く見積もった可能性（とくに通勤用）
- 受注件数を多く見積もった可能性

などが考えられます。

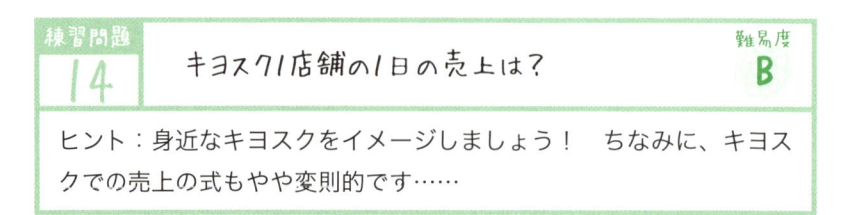

練習問題 14 キヨスク1店舗の1日の売上は？　難易度 B

ヒント：身近なキヨスクをイメージしましょう！　ちなみに、キヨスクでの売上の式もやや変則的です……

例題15 日本に中華料理店はいくつあるか？

「マクロ需要÷ミクロ供給」でストックを求める問題

難易度 C

<前提確認>

中華料理店とは、広く日常で外食に立ち寄るような中華料理店を意味するとします。ここでは、マクロ需要÷ミクロ供給の方程式で「日本における中華料理店」の数を求めていきます。なお、ここでの「マクロ需要」とはすべての中華料理店に対する需要という意味であり、また、「ミクロ供給」とは中華料理店1店あたりの供給という意味であることに注意して下さい。

<アプローチ設定>

日本における中華料理店の数は、

全中華料理店に訪れる客数（1日）（マクロ需要）
÷1店あたりの平均客数（1日）（ミクロ供給）

で求めることができます。

また、全中華料理店に訪れる客数は、

日本の総人口×1日の平均外食頻度×中華料理選択率

で求められます。

<モデル化>

①全中華料理店に訪れる客数

まず日本の総人口を年齢に分け、さらに表のA〜Eのように分類すると、各セグメントの人口は次のようになります。

年齢	10歳未満	10代	20～50代		60～70歳
分類	A：幼児	B：学生	C：社会人	D：主婦	E：老人
人口	1200万人	1200万人	5400万人	1800万人	2400万人

次に、1日の平均外食頻度を求めるため、A～Eのそれぞれのライフスタイルをイメージして、外食の頻度を仮定します（朝食は皆、家で食べるものと仮定しています）。

	昼	夜	根拠
A：幼児	週1	週1	ほぼ学校（給食）か自宅で食べる。週末に親に連れられるぐらい。
B：学生	週3	週3	中高校生・大学生になると、外食頻度が昼夜ともに高くなる。
C：社会人	週6	週3	昼は仕事で外食がつきもの。夜は自宅で食べることもある。
D：主婦	週2	週1	外食はまれで、基本的に家で自炊する。
E：老人	週1	週1	そもそも外出頻度が低い。

さらに、中華料理選択率を求めましょう。

日本人が外食するジャンルを大きく、洋食、和食、イタリアン、中華、フレンチの5つであるとし、実感ベースでそれぞれの選択率を、

洋食（30％）、和食（20％）、イタリアン（20％）、中華（20％）、フレンチ（10％）

と仮定します。ここから、中華料理選択率＝20％となります。

②1店あたりの平均客数

身近な中華料理店をイメージして、1店あたりの平均客数（1日）を

キャパシティ×稼働率×回転率

の式で求めます。なお、ここでは1日の営業時間を11～14時、18～22時と仮定しました。

時間帯	キャパシティ	稼働率	回転率	人数
11～14時	30人	80%	2回転/h（1回30分の食事）	144人
18～22時	30人	50%	1回転/h（1回1時間の食事）	60人

計 約200人

<計算実行>

全中華料理店に訪れる客数（1日）（需要）は①より、

$(1200万（人）\times 2/7 + 1200万（人）\times 6/7 + 5400万（人）\times 9/7$
$+ 1800万（人）\times 3/7 + 2400万（人）\times 2/7）\times 20\%$
$≒ 2000万（人）$

1店あたりの平均客数（1日）（供給）は②より、200（人/店）と計算できます。

よって、日本における中華料理店の数は、

$2000万（人）÷ 200（人/店）= 10万店$

となりました。

<現実性検証>

総務省の平成16年度事業所・企業統計調査によれば、飲食店の総数は全国に約73万店あります。また、グルメポータルサイト「グルメぴあ」によ

れば、東京都の中華料理店は約1万5000店あるといいます。中華料理店が人口密度に比例して存在しているならば、

1万5000店×（1億2000万/1500万（東京都の昼間人口））
＝12万店

となり、10万店という数字はかなり筋のよい数字だといえそうです。

練習問題 15　日本に美容師は何人いるか？　難易度 C

ヒント：「美容師の数」を求める際の「マクロ需要」はなに？　また「ミクロ供給」はなんでしょう？

コラム②
「フェルミバカ」によるフェルミ推定訓練法

　就職活動中、筆者は自他共に認める完全な「フェルミバカ」と化していました。友人たちと週3回、スタバでケース練習を数時間行い、帰宅後は復習、さらに外部のグループディスカッションやセミナーなどへの武者修行を週1～2回のペースでこなし、個人的にも毎日数問ノートに解きすすめていました。このときの経験をもとに、ここでは訓練法のちょっとしたコツについて3つお伝えしたいと思います。

　1つ目に「ネタ収集活動」です。解くにあたっては、当然問題が必要となりますが、これは自分のアンテナに引っかかったネタを集めてくるのがもっとも早くてなにより楽しいです。筆者は、道を歩いているときや、電車の中でふと頭に浮かんだネタを1日5個ほどメモにとり、週に30～40個ストックしていました。毎回カフェに持ちこまれる膨大なお題に「ドン引き」しながらも、結局全部解かされていた（？）3人の友人には今でも頭が上がりません。

　2つ目に継続的練習を習慣化するため、このような「フェルミパートナーを作る」ことです。われわれの場合は、カフェでストップウォッチとルーズリーフ、4色ボールペンを片手に、交互に面接官を気取ってロールプレイをしていました。一見しょうもない（？）お題に関するハイテンションかつ真顔での模擬面接は、周囲の人にはコントのように映ったかもしれません。

　最後に「短距離走と長距離走を併用する」ことです。すなわち、5分で解いたり30分で解いたりして、制限時間の長短をバラす、ということです。5分の「短距離走」は広くザックリ全体観をつかむための「知的瞬発力」を鍛える訓練なのに対し、30分の「長距離走」は時間がかかりますが、深く正確に掘っていく「知的持久力」を鍛える訓練です。両者の併用により、許された時間内で可能な最高の「走り」を実現できるようになります。

　このような練習を繰り返していくと、フェルミ推定を1日に何問解いているのか、次第にわからなくなってくるはずです。道を歩いていても、「日本のマンホールの数」や「東京のカラスの数」を自然に数えはじめ、飲み会に行っても、気づいたら「居酒屋の売上」を計算している自分がいるようになるでしょう。意識的に「解いている」感覚がなくなり、無意識的な「自動操縦状態」へと移行したとき、いよいよあなたも「フェルミ病」（？）かもしれませんね（笑）。

おわりに

　「日本に電柱は何本あるか？」というフェルミ推定の問題に筆者の1人である私が初めて出会ったのは、2008年の春ごろだったと記憶しています。
　就職活動を終えた友人がわが家に遊びに来た際に、「お前、この問題解けるか？」とやや挑戦的にその問題を私に投げかけました。

　当時は、仮説（たとえば、電柱1本あたりの面積）に基づく思考やMECE（モレなくダブりなく）に拘泥するフェルミ推定の考えに、やや違和感を覚えていました。
　「そんな数、正確性に欠けているじゃないか」
と友人が出した答えを批判さえしました。

　しかし、就職活動をはじめたことを機にフェルミ推定を含めた、いわゆる「ケース問題」を解きはじめるようになると、仮説思考やMECEに分類することの重要性を次第に理解できるようになりました。
　つまり、フェルミ推定を含めた「ケース問題」で重要なことは、結論ではなく、その結論を出すまでの思考過程であると理解するようになったのです。

　そして今では、フェルミ推定を含めた「ケース問題」での思考は、いわば野球でいう「素振り」であると考えています。言い換えるならば、物事を考える際に、また（学生であれば）サークルで活動を行う際に、さらには日常生活で何かをはじめようとする際に、効率的かつ論理的に思考するための練習なのです。
　もちろん「素振り」だけでは、「実戦」に臨むことはできません。

とくにビジネスを含めた実社会での「実戦」に臨むためには、集団の中でのチームワークであったり、熱い志や行動力であったり、その他さまざまなものが必要でしょう。しかし、一方で、「素振り」がその「実戦」での勝利の可能性を高めるはずだと私は思います。

　「まだ働きはじめてもいないやつがなにをいっているんだ」と突っ込まれるかもしれませんが、以上の考えは、実社会に足を踏み入れることを目前に控えた私の「仮説」です。立てられた「仮説」は、その内容が正しいことを「実証」されなければなりません。
　私は、自らが働きはじめたあとに、その「仮説」を「実証」していきたいと考えています。
　ただし、厳密に突き詰めると、私が仮にビジネスの世界でよいパフォーマンスを出せたとしても、果たしてその結果が「学生時代にケース問題をやり込んでいた」という事実と強い因果関係があるのか否かという点をさらに「実証」しなければなりません。
　まあ話が複雑になるので、その点はおいておきましょう（笑）。

　ともあれ、本書に載せた問題に取り組んでいただいたみなさんにも、ぜひ私が提示した上記の「仮説」を「実証」してほしいと考えています。
　その「実証」のために、つまり、みなさんが実社会で自らが満足のいく結果を収めるために、本書を通じてわれわれがいくらかでも貢献できたとするならば、これほどうれしいことはありません。

　最後に、本書の作成にあたり尽力してくださった方々に謝意を表したいと思います。まず、原稿に目を通し有意義なコメントを与えてくれた友人たちへ。小栗史也くん、趙震宇くん、宮崎亮くん。君たちのお陰でよりよいものを作り上げることができました。どうもありがとう。また、東大ケーススタディ研究会を裏から支えてくれた、萬研一くん。ほぼボランティアで協力してくれたこと、本当に感謝しています。

おわりに

本書の編集を担当していただいた東洋経済新報社の桑原哲也氏。われわれに素晴らしいチャンスを与えてくださったことを感謝いたします。

　そして、最後になりましたが、就職活動中から本書執筆まで、ずっと参考にさせていただいた『地頭力を鍛える』（東洋経済新報社）の著者、細谷功様。この本がなかったら、今の私たちはありませんでした。心から感謝しております。本当にありがとうございました。

2009年8月
東大ケーススタディ研究会を代表して

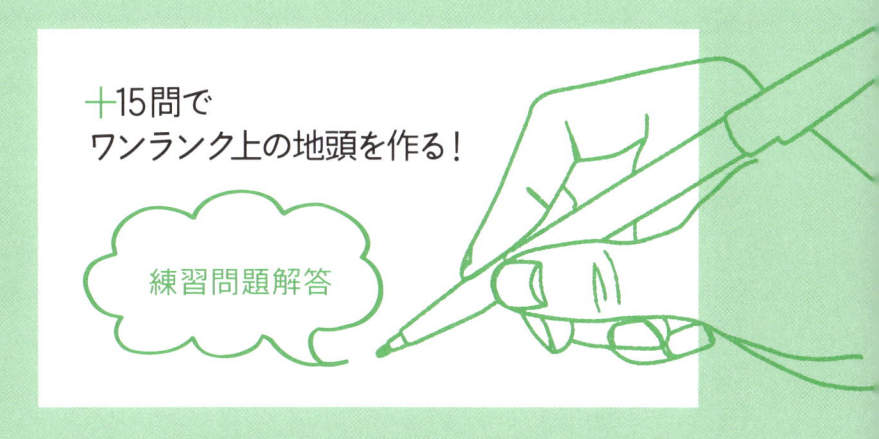

＋15問でワンランク上の地頭を作る！

練習問題解答

ここでは、以下15問の練習問題の解説をします。例題同様、なるべく自分で考えてから解答・解説を見るようにしてください。

練習問題1	日本にピアスはいくつあるか？	A
練習問題2	日本に猫は何匹いるか？	A
練習問題3	日本にコピー機は何台あるか？	C
練習問題4	日本に電柱は何本あるか？	A
練習問題5	日本にスターバックスの店舗はいくつあるか？	B
練習問題6	日本に消防署はいくつあるか？	B
練習問題7	世界遺産はいくつあるか？	C
練習問題8	東京都に鳩は何羽いるか？	C
練習問題9	ピアスの市場規模は？	B
練習問題10	割り箸の年間消費数は？	B
練習問題11	マッサージチェアの市場規模は？	B
練習問題12	丸の内のラーメン店の売上は？	A
練習問題13	ゲームセンターの売上は？	B
練習問題14	キヨスク1店舗の1日の売上は？	B
練習問題15	日本に美容師は何人いるか？	C

練習問題 1　日本にピアスはいくつあるか？　難易度 A

<前提確認>
　「ピアス」は「耳に穴を開けて身につける装飾品」と定義する（「耳に穴を開けない」イヤリング、耳以外の場所につけるピアスを除く）。また、個人が所有しているものに範囲を限定する。

<アプローチ設定>
　日本におけるピアスの数は、
　日本の人口×ピアス所有率×1人あたりのピアス所有数
で求めることができる。

<モデル化>
　次に、日本の人口を男女と年齢の2軸でセグメントに分け、各セグメントの左側に所有率、右側に1人あたりの所有数を書き込んでいく。

歳	10歳未満	10代	20代	30代	40代	50代	60〜70代
男	/	5%　1	10%　1	0%　0	0%　0	0%　0	0%　0
女	/	25%　2	50%　3	25%　2	10%　2	0%　0	0%　0

　人口は0歳から80歳までを上表のように区別する。日本の人口を1億2000万人、各世代同数とするならば、各世代は1500万人ずつ人口が存在する（1億2000万÷8＝1500万）。また男女同数と考えれば、各世代750万人ずつの男女が存在する（1500万÷2＝750万）。つまり、長方形型の人口ピラミッドをイメージすればよい（人口を求める別の方法として

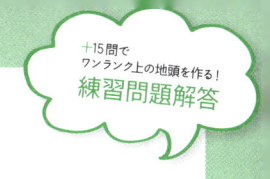

「つぼ型の人口ピラミッド」もある。例題1参照)。
　所有率に関しては、
　① 男性よりも女性のほうが高い
　② 50代以上はピアスを保有していない（ピアスは比較的新しいファッション）
　③ 10代よりも20代のほうが高い（10代は学校でピアスを禁止されている可能性が高い）
　と仮定。

　1人あたりの所有数に関しては、所有率と相関関係にあると考える。

＜計算実行＞
　男性が所有するピアスの数は、
　750万(人)×(5％＋10％)×1(個)
　＝112.5万(個)
　≒100万(個)
　女性が所有するピアスの数は、
　750万(人)×(25％＋25％＋10％)×2(個)
　＋750万(人)×50％×3(個)
　＝2025万(個)
　≒2000万(個)
　ゆえに、日本におけるピアスの数は、
　100万(個)＋2000万(個)＝2100万(個)
となる。

＜現実性検証＞
　日本の人口が1億2000万人であるとすれば、およそ6人に1人がピアスを1個所有する感覚となる。筆者の実感に照らすと、やや少ない気がしなくもない。女性の所有率と1人あたりの所有個数をやや低く見積もってしまったかもしれない。

| 練習問題 2 | 日本に猫は何匹いるか？ | 難易度 A |

<前提確認>

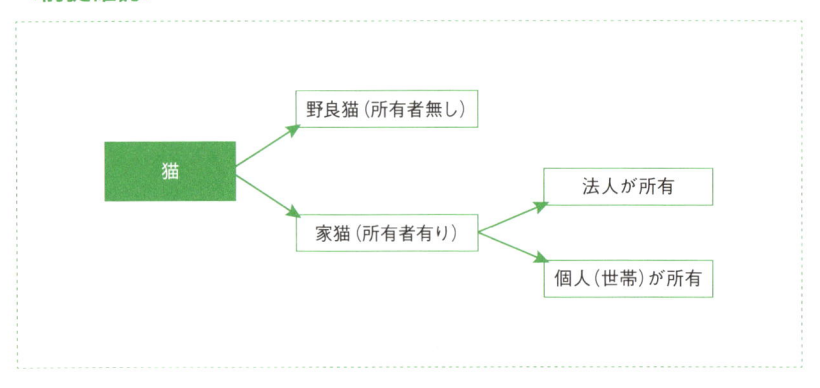

```
猫 ─┬─ 野良猫（所有者無し）
    └─ 家猫（所有者有り） ─┬─ 法人が所有
                           └─ 個人（世帯）が所有
```

　表のように「猫」を分類した上で、さしあたり<u>「個人（世帯）が所有している猫」</u>に範囲を限定する。

<アプローチ設定>

　日本における猫の数は、
<mark>日本の世帯数×猫の所有率×1世帯あたりの平均所有数</mark>
で求めることができる。

　なお、世帯ベースではなく<u>個人ベースで数えると、猫を所有している者が重複するため、不適切</u>。たとえば、磯野家のタマは、サザエさん、カツオくん、ワカメちゃんなど複数の個人が所有している。この場合、所有者の数（磯野家の人数）は7人であるのに対し、猫の数は1匹。

<モデル化>
①日本の世帯数
　日本の1世帯あたりの平均人数を3人（父・母・子供1人）、日本の人

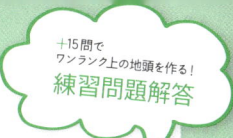

口を1億2000万人と仮定するならば、日本の世帯数は4000万世帯となる（1億2000万÷3）。

②猫の所有率
　猫の所有率を求めるにあたり、次のように「日本の世帯」を分類する。

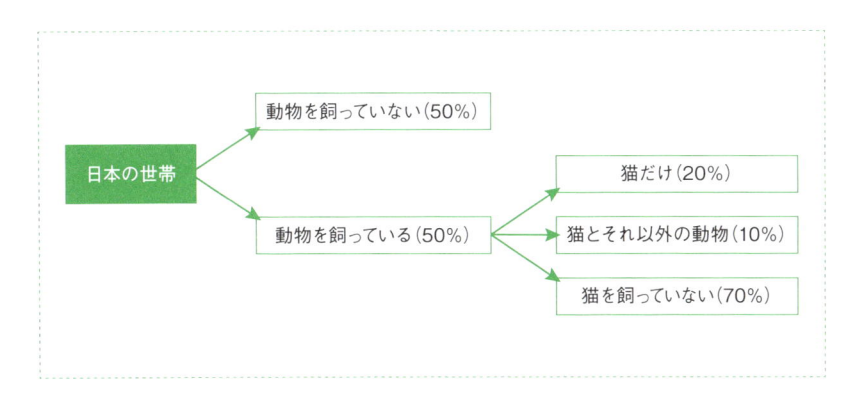

```
                    ┌─ 動物を飼っていない（50%）
                    │
日本の世帯 ─────────┤                          ┌─ 猫だけ（20%）
                    │                          │
                    └─ 動物を飼っている（50%）─┼─ 猫とそれ以外の動物（10%）
                                               │
                                               └─ 猫を飼っていない（70%）
```

　動物を飼っている世帯の割合を50%とし、その中で猫を所有している世帯が30%（20%＋10%）であると仮定するならば、猫の所有率は、
　　50%×30%＝15%
となる。

③1世帯あたりの平均所有数
　1世帯あたりの平均所有数を求めるにあたり、1匹だけ所有している世帯を75%、2匹所有している世帯を20%、3匹所有している世帯を5%と仮定する（簡単化のために、4匹以上所有している世帯を排除する）。
　計算すると、1世帯あたりの平均所有数は、
　　1(匹)×75%＋2(匹)×20%＋3(匹)×5%＝1.3(匹)
となる。

＜計算実行＞
　以上、①〜③より、日本における猫の数は、

4000万(世帯)×15%×1.3(匹)＝780万(匹)
と計算できる。
　つまり、日本において「個人が所有している猫」の数は、780万匹。

＜現実性検証＞

　ペットフード工業会による第14回犬猫飼育率全国調査(2007年)によれば、2007年における猫の飼育数は1018.9万匹。上での計算はやや少ない数字となった。また、同調査によれば1世帯あたりの平均飼育数は1.77匹。上で設定した数字は、「悪くない」と感じられる。

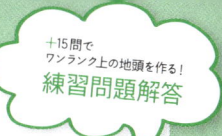

> +15問で
> ワンランク上の地頭を作る！
> **練習問題解答**

```
練習問題
   3     日本にコピー機は何台あるか？    難易度 C
```

＜前提確認＞

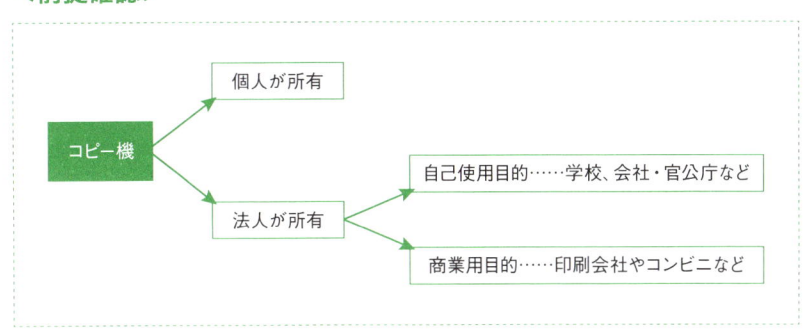

```
               ┌─→ 個人が所有
   コピー機 ──┤                    ┌─→ 自己使用目的……学校、会社・官公庁など
               └─→ 法人が所有 ──┤
                                    └─→ 商業用目的……印刷会社やコンビニなど
```

　表のように「コピー機」を分類した上で、「個人」よりも所有している数が多いと考えられる<u>「法人が所有しているコピー機」に範囲を限定</u>する。一方で、「法人が所有しているコピー機」を「自己使用目的」と「商業用目的」に区別する。ここでは、<u>「自己使用目的」</u>に的を絞る。

＜アプローチ設定＞

　「日本におけるコピー機の数」は、

　　日本の法人数×法人が所有するコピー機の平均数

で基本的には求めることができる。

　ただし、法人といってもその性質や規模はさまざま。そこで、法人を次のように分類する。

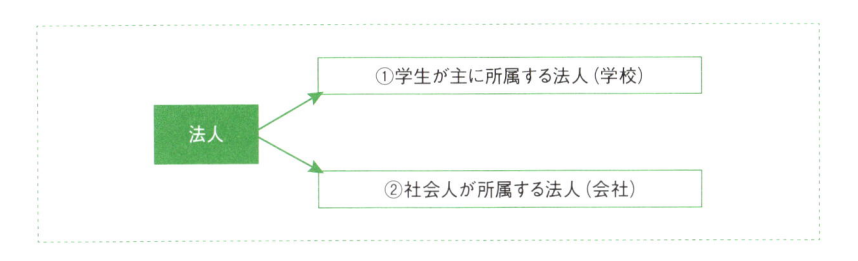

```
             ┌─→ ①学生が主に所属する法人（学校）
   法人 ──┤
             └─→ ②社会人が所属する法人（会社）
```

101

このような分類を用いた理由は、法人の数を求める方法が学校と会社では異なるからである。つまり、
　　学校の数＝学生人口÷学校１つあたりの平均学生数
　　会社の数＝生産者人口÷法人１つあたりの平均構成員数
と、それぞれ異なる式で求めなくてはならない。
　したがって、「日本におけるコピー機の数」は改めて次の式で求められる。
　　①：学校の数×学校が所有するコピー機の平均数
　　＋②：会社の数×会社が所有するコピー機の平均数

＜モデル化＞
①学校が所有するコピー機
- 学校の数

　学校の数は、学生人口÷学校の平均人数で求められるので、
　　1800万（人）÷400（人）＝4万5000（校）
となる。（１学年＝100人、平均４学年と考えると、学校あたりの学生数は100×4＝400（人）。詳しくは例題３参照）。

- 学校が所有するコピー機の平均数

　学校が所有するコピー機の平均数は、１学年（学生数100人）に１台と仮定するならば、
　　400（人）÷100（人）＝4（台）

②「会社」が所有するコピー機
- 「会社」の数

　「会社」の数は、生産者人口÷各会社の平均人数で求めることができるので、
　　5400万（人）÷20（人）＝270万（社）
となる（会社の９割が10人の小会社、１割が100人の大会社と仮定すると、加重平均は約20人となる。詳しくは例題３参照）。

小会社の数と大会社の数をそれぞれ求めると、
小会社の数＝270万(社)×90％＝243万(社)
大会社の数＝270万(社)×10％＝27万(社)
となる。

●会社が所有するコピー機の平均数
　10人の小会社が所有するコピー機の平均数を1台と仮定し、一方で、コピー機の所有数は社員の人数に比例すると考えると、100人の大会社が所有するコピー機の平均数は10台と仮定できる。

＜計算実行＞
　①より、学校が所有するコピー機の数は、
　4万5000(校)×4(台)＝18万(台)

　②より、会社が所有するコピー機の数は、
　243万(社)×1(台)＋27万(社)×10(台)＝513万(台)

　以上より、「日本におけるコピー機の数」は、
　18万(台)＋513万(台)≒530万(台)

＜現実性検証＞
　経済産業省生産動態統計によれば、平成18年度の複写機(デジタル及びカラー)の販売台数は約155万台、平成19年度は約148万台である。仮にコピー機が5年ですべて新しいものに入れ替わってしまうと考え、コピー機が毎年150万台販売されるとするならば、日本に存在しているコピー機の数は150万台×5＝750万台と計算できる。
　上で求めた数字が「自己使用目的で法人が所有する」との限定付きであったことを考えれば、530万台という数字はそれほど非現実的ではないと思われる。

| 練習問題 4 | 日本に電柱は何本あるか？ | 難易度 A |

<前提確認>

　電柱とは、（言うまでもなく）発電所から各世帯や各法人施設に電気を送るために建てられたものである。電柱は電力会社（東京電力など）ないし通信会社（NTTなど）が所有しているようだが、<u>「電柱の数」は「所有者の数」をベースとして導きだすことが難しい。</u>したがって、面積ベースで数を求める。

<アプローチ設定>

　「日本における電柱の数」は、
　　<u>日本の面積÷電柱1本あたりの面積</u>
で求めることができる。

<モデル化>

①日本の面積

　<u>日本の面積</u>は、小学校や中学校で覚えたように、約38万km^2。一方で、「日本の面積」それ自体もフェルミ推定により概算できる。
　たとえば、<u>日本の面積を下のような長方形に見立てる方法がある。</u>

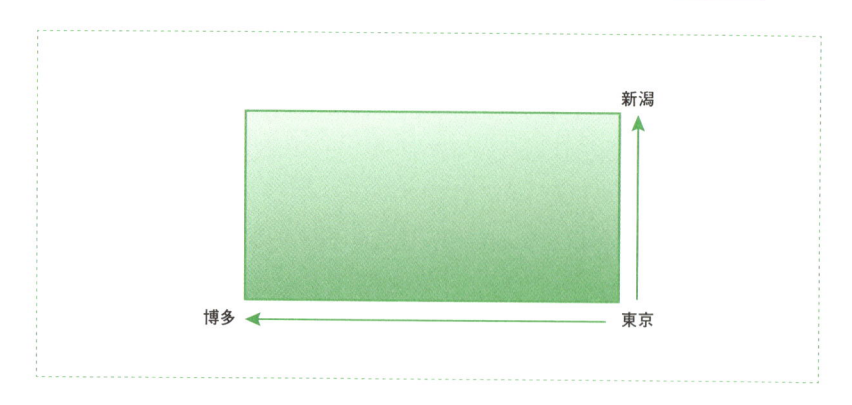

（図：長方形。右上「新潟」、右下「東京」、左下「博多」）

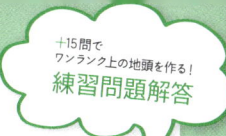

東京～新潟間は新幹線で約2時間、新幹線の平均速度を時速200kmとするならば、東京～新潟までの「縦」の長さは、

2(h)×200(km/h)＝400(km)

となる。

また東京～博多間は新幹線で約5時間かかるので、東京～博多までの「横」の長さは、

5(h)×200(km/h)＝1000(km)

となる。

よって、日本の面積を以上のように単純に考えるならば、

400×1000＝<u>40万</u>（km²）

となる。以下では、<u>日本の面積を40万km²とみなす</u>ことにする。

②電柱1本あたりの面積

<u>電柱1本あたりの面積</u>を考える上で、日本の面積を山地と平地に分類する。

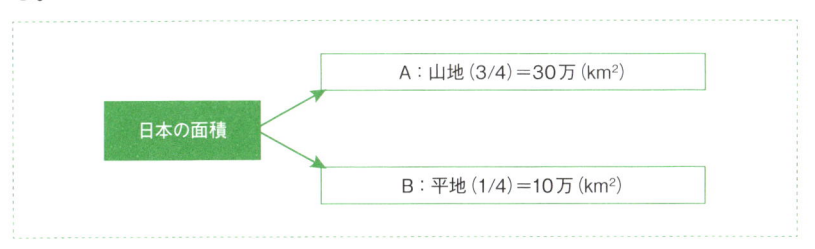

```
                    ┌─────────────────────────────┐
                    │ A：山地（3/4）＝30万（km²） │
                    └─────────────────────────────┘
   ┌──────────┐  ↗
   │日本の面積│
   └──────────┘  ↘
                    ┌─────────────────────────────┐
                    │ B：平地（1/4）＝10万（km²） │
                    └─────────────────────────────┘
```

電柱が各世帯及び各法人に電気を送るものであると考えるならば、世帯や法人がより多く存在する<u>平地において、電柱はより密に存在している</u>はず。

- A：山地における電柱1本あたりの面積

<u>250m四方に1本</u>と仮定するならば、山地における電柱1本あたりの面積は、

1/4(km)×1/4(km)＝<u>1/16(km²)</u>

- B：平地における電柱1本あたりの面積

　<u>50m四方に1本</u>と仮定するならば、平地における電柱1本あたりの面積は、

　1/20(km) × 1/20(km) ＝ <u>1/400(km²)</u>

＜計算実行＞

①②より、「日本における電柱の数」は、

30万(km²) ÷ 1/16(km²) ＋ 10万(km²) ÷ 1/400(km²) ≒ <u>4500万(本)</u>

＜現実性検証＞

　上に述べたように、電柱は電力会社ないし通信会社（NTTなど）が所有している。

　『電気事業便覧』(平成16年度版)によると、電力会社10社合計で約2080万本の電柱を所有している。一方で、NTT東日本が約570万本、NTT西日本が618万本。

　つまり、「日本における電柱の数」は、実際には<u>約3268万本</u>である。

　やや現実の数より上回ってしまった。日本の面積が大きく誤りであることは考えられないため、数が若干ズレてしまった原因は「電柱1本あたりの面積」の値にあると思われる。

練習問題 5 日本にスターバックスの店舗はいくつあるか？ 難易度 B

<前提確認>
「スターバックス（以下、スタバ）」という言葉から、身近にあるいくつかのスタバの店舗が連想されるだろう。ここでは、筆者の生活の場である「東京都」におけるスタバの数をもとに、「日本におけるスタバの数」を割り出したい。

<アプローチ設定>
「日本におけるスタバの数」は、
東京都のスタバ数×（日本の総人口/東京都の人口）
で求めることができる。

また、東京都のスタバ数は、
東京都の面積（平地）÷スタバ1店あたりの面積
で求められる。

<モデル化>
①東京都の面積（平地）
　東京都の面積を「縦」40km、「横」80kmの長方形に見立てる（例題5参照）。東京都の西1/4が山地であると仮定するならば、東京都における平地の面積は、
　40(km)×80(km)×3/4＝2400(km^2)
となる。

②スタバ1店あたりの面積
　スタバ1店あたりの面積を求める上で、東京都における平地の面積を中心部（山手線内）と郊外（山手線外）に分類する。

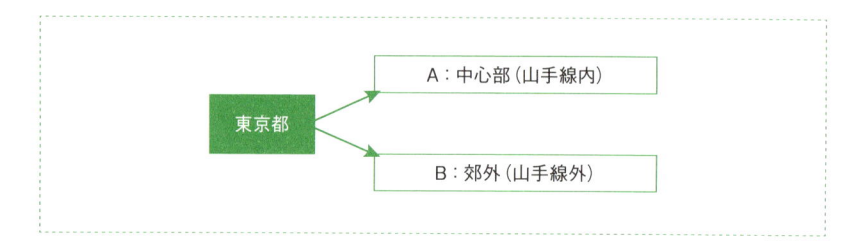

```
┌─────────────────────────────────────────────────────┐
│                        ┌──────────────────────┐     │
│                    ┌──→│ A：中心部（山手線内）│     │
│    ┌──────┐        │   └──────────────────────┘     │
│    │東京都│────────┤                                │
│    └──────┘        │   ┌──────────────────────┐     │
│                    └──→│ B：郊外（山手線外）  │     │
│                        └──────────────────────┘     │
└─────────────────────────────────────────────────────┘
```

- A：中心部（山手線内）におけるスタバ1店あたりの面積

　中心部（山手線内）を「縦」「横」それぞれ8kmの正方形に見立てる（「渋谷」から「池袋」まで約12分、「池袋」から「上野」まで約12分。電車の時速を40km/hと置くならば、「縦」「横」いずれも40km/h×12/60h＝8kmとなる）。

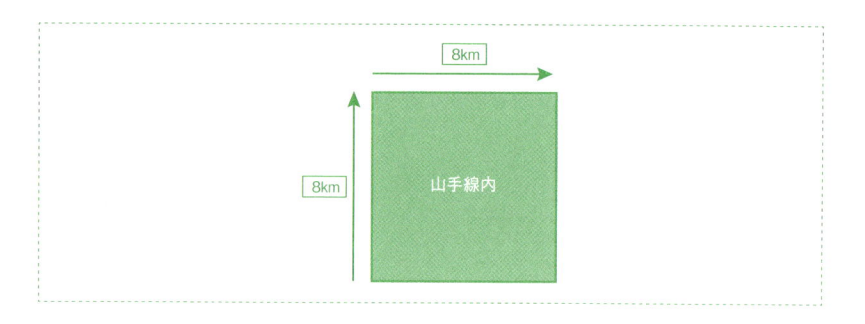

```
        ┌──── 8km ────→
        ┌──────────────┐
        │              │
    8km │   山手線内   │
        │              │
        └──────────────┘
```

　駅の間隔を2分と仮定すれば、駅間の長さは、
　　40(km/h)×2/60(h)＝4/3(km)
となる。複数の店舗を構える駅も考慮して、山手線内では1駅に1.5店の割合でスタバがあると仮定するならば、山手線内では4/3km四方の中にスタバが1.5店存在すると考えられる。

- B：郊外（山手線外）におけるスタバ1店あたりの面積

　山手線外の面積は、東京都の面積（平野）から上で設定した山手線内の面積を引いて、
　　2400(km²)−64(km²)＝2336(km²)
と求められる。

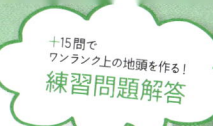

駅から駅へは時速40kmで3分かかると仮定し、3駅ごとにスタバが1店の割合で存在すると仮定するならば、6km（＝40(km/h)×3/60(h)×3）四方にスタバが1店存在すると考えられる。

③日本の総人口／東京都の人口
　東京都の昼間人口を1500万人と置く。また、日本の総人口を1億2000万人とするならば、日本の総人口／東京都の人口は、
　1億2000万（人）／1500万（人）＝8
となる。

＜計算実行＞
　①〜③より、
　山手線内のスタバは、
　8(km)×8(km)÷(4/3(km)×4/3(km))×1.5＝54(店)
　山手線外のスタバは、
　2336(km²)÷(6(km)×6(km))≒65(店)
　よって、日本のスタバの数は、
　(54＋65)(店)×8＝952(店)≒950(店)
と求められた。

＜現実性検証＞
　スターバックスの公式ホームページによれば、2009年3月期における店舗数は816店である。この数字だけ見れば、上で求めた950店という数字は「悪くない」と感じられる。
　しかし、東京都の店舗数は246店。上で求めた数字（119店）とかなりズレてしまった。東京で人が多く集まる場所、たとえば新宿駅近くではスタバは10店以上存在している。東京の「中心部」におけるスタバの数を読み誤ったかもしれない。

| 練習問題 6 | 日本に消防署はいくつあるか？ | 難易度 B |

<前提確認>
　消防署は火災に備えて各地域に配置されるものである。火災が生じた際には、消防署から消防員や消防車がなるべく早く現場に到着する必要がある。よって、公共的な配慮により、消防署は火災が生じる可能性のある場所から「一定時間で到着できる」地点に設けられているはず。

<アプローチ設定>
「日本における消防署の数」は、
　　日本の面積÷消防署1つあたりの面積
で求められる。

<モデル化>
①日本の面積
　日本の面積は、約38万km²。

②消防署1つあたりの面積
　消防署1つあたりの面積を求める上で、日本の面積を平地と山地に分ける。

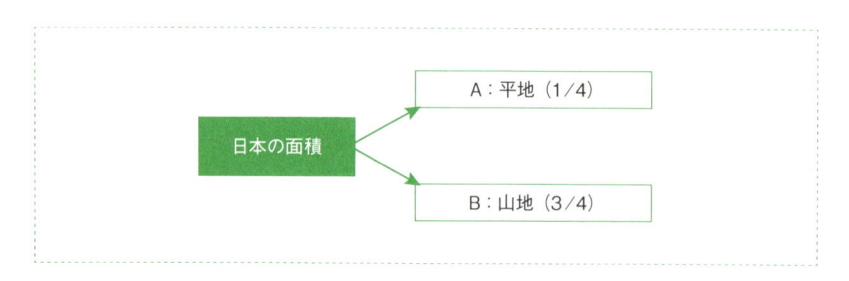

```
                    ┌─ A：平地（1/4）
     日本の面積 ─┤
                    └─ B：山地（3/4）
```

　平地のほうが山地に比べて、消防署がより密に存在していると仮定す

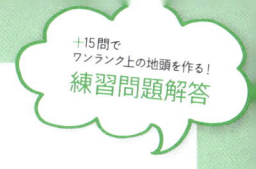

る。

- A：平地における消防署1つあたりの面積

平地では、消防車は現場に10分以内に到着しなければならないと仮定し、消防車の速さを時速36kmと置くならば、

36(km/h)×10/60(h)＝6(km)

より、平地では半径6kmの円の中に1つ消防署があると考えられる。

ただし、計算の便宜上、消防署の活動範囲を半径6kmの「円」ではなく、一辺が12kmの「正方形」としてとらえる。

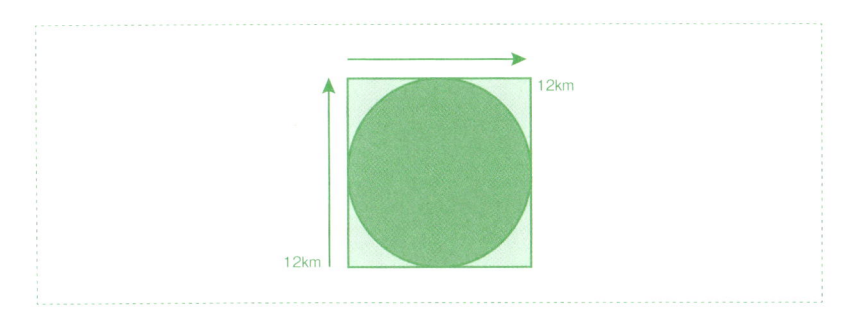

以上から、平地における消防署1つあたりの面積は、

12(km)×12(km)＝144(km²)

- B：山地における消防署1つあたりの面積

山地では、消防車は現場に40分以内に到着しなければならないと仮定し、消防車の速さを時速36kmと置くならば、

36(km/h)×40/60(h)＝24(km)

より、山地では、48km四方の中に1つ消防署があると考えられる。つまり、山地における消防署1つあたりの面積は、

48(km)×48(km)＝2304(km²)

<計算実行>

①②より、平地における消防署の数は、

(38万(km²)×1/4)÷144(km²)≒660
山地における消防署の数は、
(38万(km²)×3/4)÷2304(km²)≒124
よって、「日本における消防署の数」は、
660＋124＝784≒800

＜現実性検証＞

　消防防災博物館ホームページによれば、平成19年の時点で消防署の数は1705あるとされる。上で求めた数字は現実の数の1/2未満になってしまった。数がズレた原因の１つには、「現場に到着するまでの一定時間」を長く見積もってしまったことがあると思われる。

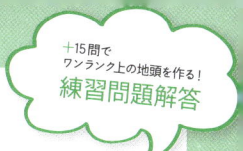

+15問で
ワンランク上の地頭を作る!
練習問題解答

練習問題 **7** 世界遺産はいくつあるか？ 難易度 **C**

<前提確認>

「世界遺産」は、ユネスコにより認められた各国の重要な文化遺産及び自然遺産を意味する。ちなみに日本では近年、知床や石見銀山が世界遺産として登録された。ここでは「日本の世界遺産の数」ではなく、「全世界の世界遺産の数」を求める。

<アプローチ設定>

全世界の世界遺産の数は、

世界の国の数×ユネスコ条約加盟国割合×各国に存在する世界遺産の平均数

で求めることができる。

世界の国の数は200、ユネスコ条約加盟国割合を90%と仮定する。

<モデル化>

各国に存在する世界遺産の平均数を求めるにあたり、次のような論理を立てる。

各国の世界遺産の数を決定する主な要因は「国際社会における国家の地位の高さ」であると仮定する。つまり、国連において「声が大きい」国ほど、世界遺産をより多く認めてもらえると考える。

そして、「国際社会における国家の地位の高さ」は、

A「先進国＞発展途上国」…… 先進国の世界遺産は発展途上国の3/2倍
B「欧米＞その他」…… 欧米の世界遺産はその他の3/2倍

であると仮定する。

先進国はG8（アメリカ、イギリス、フランス、イタリア、ドイツ、カナダ、ロシア、日本）、また欧米はアメリカ・カナダ＋EU（27カ国）＋イギリス＝30カ国と定義する。

A・Bの2軸に基づいて表を作成する（a＝非欧米・発展途上国1カ国の世界遺産の数）。

	先進国（G8）	発展途上国
欧米	米・英・仏・独・伊・加……6カ国 $3/2 \times 3/2 \times a$	30カ国－6カ国＝24カ国 $3/2 \times a$
その他	露・日……2カ国 $3/2 \times a$	200カ国×90％－32カ国＝148カ国 a

＜計算実行＞

上の表に基づいて、全世界の世界遺産の数を求めると、

$3/2 \times 3/2 \times a \times 6$（カ国）＋$3/2 \times a \times (24+2)$（カ国）＋$a \times 148$（カ国）

＝$3/2 a \times 35 + 148a$

≒200a … ①

また、日本に存在する世界遺産の数は約15なので、上の表より、

$3/2 a = 15$

$a = 10$ … ②

①に②を代入すると、全世界の世界遺産の数は、

$200 \times 10 = 2000$

と求められた。

＜現実性検証＞

ユネスコのホームページによれば、2009年4月現在、世界遺産の数は878。上で求めた数は、現実の数の2倍以上になってしまった。上の解法では「国際社会における国家の地位の高さ」が各国の世界遺産の数を決定

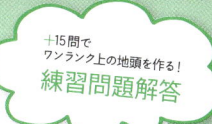

すると仮定したが、実際には、「ユネスコ条約に加盟している期間」や「実際に世界遺産に値する文化遺産・自然遺産の数」など他に考慮すべき要因が複数存在する。この問題は、ユニット同士を比較する基準の設定が困難である。

なお、上の解法では「世界遺産を『承認してもらう』側」＝国をベースに数を求めたが、一方で<u>「世界遺産を『承認する』側」＝ユネスコが毎年承認する世界遺産の数をベース</u>に数を求めてもよい。

たとえば、世界遺産の登録が始まってから約40年であると仮定して、ユネスコは平均して毎年20の世界遺産を承認すると仮定する。このとき、世界遺産の数は

40(年)×20＝800

と求められる。

<u>ストック（世界遺産の数）を毎年のフロー（ユネスコが毎年承認する世界遺産の数）の積み重ねとしてとらえる解法</u>といえる。

| 練習問題 8 | 東京都に鳩は何羽いるか？ | 難易度 C |

<前提確認>

ここでは、東京都に現時点で存在している鳩の数を求める。「鳩」は次のように分類できる。

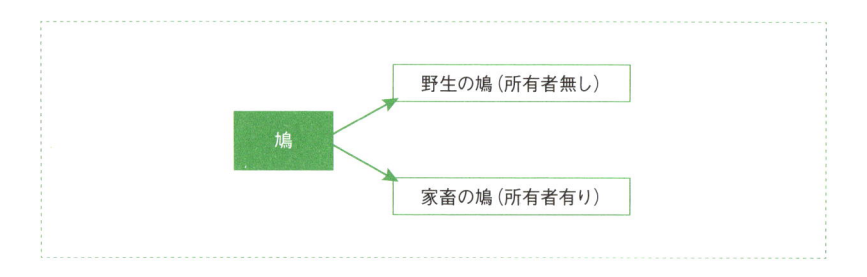

```
                    → 野生の鳩（所有者無し）
        鳩
                    → 家畜の鳩（所有者有り）
```

家畜の鳩（伝書鳩など）は実感ベースとして比較的少ないと感じられる。東京都民1200万人中0.01％が5羽所有していると仮定すれば、家畜の鳩の数は6000羽。一方で、野生の鳩は公園や駅などいたるところに存在している。以下では、野生の鳩の数を求めることとする。

<アプローチ設定>

東京都における鳩の数を求めるにあたり、「100m四方の中に10羽」と「面積ベース」で考えてもよいが、この仮定には十分な根拠がない。そこで、より具体的に「鳩が存在している場所」をイメージするために、駅と公園の2つを「鳩が存在している場所」であると仮定する。

もちろん、「駅」と「公園」以外の場所にも鳩は存在しているだろうが、そのような鳩の数は比較的少ないものと見なして先に進む。

よって、東京都における鳩の数は、
東京都の駅の数×駅に存在する鳩の平均数＋東京都の公園の数×公園に存在する鳩の平均数

で求められる。

　ところで、東京都の駅の数ないし公園の数を求めるにあたり、東京都の面積（平地）を考えなくてはならない。東京都の面積は、時速40kmの電車で縦に１時間、横に２時間⇒40km×80km＝3200km^{2}と考えられる。
　西1/4が山地と仮定すれば、東京都の平地の面積は3200km^2×3/4＝2400km^{2}と推定できる（例題5参照）。

＜モデル化＞
①東京都の駅の数
　東京都の駅は時速40kmの電車で平均３分間隔に存在すると仮定すれば、40km×3/60＝2kmより、2km四方に１つ駅が存在すると考えられる。また東京都の駅は「平地」にのみ存在すると仮定する。
　以上より東京都の駅の数は、
　　東京都の面積（平地）÷2km四方の面積
　　＝2400(km)÷(2(km)×2(km))
　　＝600(カ所)
となる。

②駅に存在する鳩の平均数
　駅それ自体の面積を50m四方⇒50m×50m＝2500m^{2}であると仮定する。
　一方で、鳩1羽が占める面積を0.2m×0.2m＝0.04m^{2}であると考え、また駅それ自体の面積に鳩が占める密度を0.1％であると仮定すれば、1駅あたりに存在する鳩の平均数は、
　　駅それ自体の面積×鳩が占める密度÷鳩が占める面積
　　＝2500(m^2)×0.1％÷0.04(m^2)
　　＝62.5(羽)
　　≒60(羽)
となる。

③東京都の公園の数

　駅も公園も（少なくとも東京都では）同様に人々の生活になくてはならないものであり、東京都の公園の数は駅の数に比例すると仮定できる。

　駅に出口が２つあるとして、人通りの多い出口方面には公園が２つあり、人通りの少ない出口方面には公園が１つあると想像するならば、<u>東京都の公園の数は、</u>

　東京都の駅の数×３＝600(カ所)×３

　＝<u>1800(カ所)</u>

であると考えられる。

④公園に存在する鳩の平均数

　「公園それ自体の面積」、「公園で鳩が占める密度」が駅と同じであると仮定するならば、１公園あたりに存在する鳩の平均数は、<u>約60羽</u>となる。

＜計算実行＞

　①〜④より、<u>東京都の鳩の数</u>は、

　600(カ所)×60(羽)＋1800(カ所)×60(羽)＝<u>14万4000(羽)</u>

と求められた。

＜現実性検証＞

　東京都の駅の数は、私鉄・JRの双方を含め、実際には<u>約600カ所</u>。①の仮定はかなり正確なものといえる。一方、東京都建設局のホームページによれば、平成19年の時点で東京都の公園の数は<u>約7000カ所</u>。1800カ所と置いた③の数字とはかなりズレてしまった。

　もっとも東京都建設局が定める公園の基準は面積が10m²以上であり、かなり小さい公園も数に組み込んでいる点に留意が必要ではある。

練習問題解答
+15問で
ワンランク上の地頭を作る！

練習問題 9　ピアスの市場規模は？　難易度 B

<前提確認>

「ピアス」とは、「耳に穴を開けて身につける装飾品」と定義する（「耳に穴を開けない」イヤリングや、「耳以外の場所」につけるピアスは除く）。

また「市場規模」とは「1年間に日本で購入されたピアスの総額」とする（より正確には「日本国内で購入されたピアスの総額」ではなく、「日本人が購入したピアスの総額」を求める。なお、以下では例題とはやや異なる方法で「市場規模」を求める）。

<アプローチ設定>

ピアスの市場規模は、

日本で1年間に購入されたピアスの数×ピアスの平均単価

で求められる。

また、日本で1年間に購入されたピアスの数は、

日本で1年間にピアスを購入した人の数×平均購入数

で求めることができる。

他方で、日本で1年間にピアスを購入した人を想定するにあたり、現在ピアスを所有している人を新規と既存に分類する。

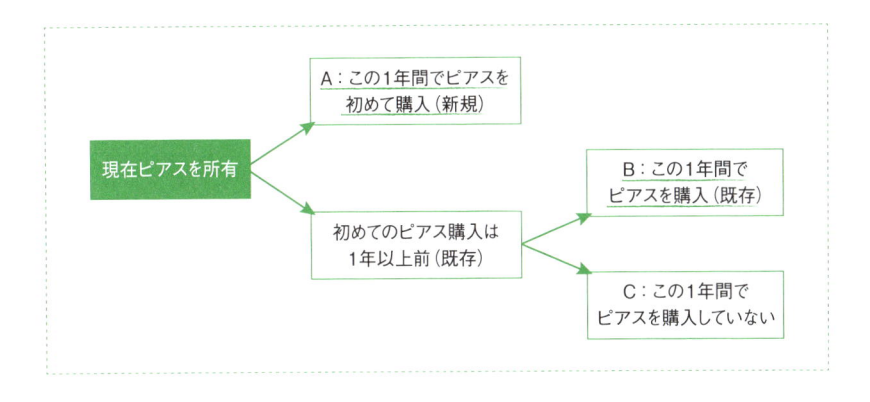

```
現在ピアスを所有 ──→ A：この1年間でピアスを
                    初めて購入（新規）
              └─→ 初めてのピアス購入は ──→ B：この1年間で
                  1年以上前（既存）          ピアスを購入（既存）
                                    └─→ C：この1年間で
                                          ピアスを購入していない
```

119

つまり、日本で1年間にピアスを購入した人はAとBの2セグメント存在する。

以下では、A＝5％、B＝50％、C＝45％の割合であると仮定して、推定を進めていく。

なお、Bには「買い替え（ex. 1個→1個）」と「買い足し（ex. 1個→2個）」の2つのセグメントが存在するが、ここではこれらのセグメントを区別しない。

＜モデル化＞
①1年間にピアスを購入した人の数
- A：この1年間でピアスを初めて購入（新規）

A：この1年間でピアスを初めて購入した人数は、
現在ピアスを所有している人の数×5％
である。

現在ピアスを所有している人の数は、次のような男女・各世代（0～80歳）でセグメント化し、ピアス所有率を書き込んだ表から求められる（詳しくは練習問題1参照）。

歳	10歳未満	10代	20代	30代	40代	50代	60・70代
男		5％	10％	0％	0％	0％	0％
女		25％	50％	25％	10％	0％	0％

各世代の人数を1億2000万人÷8＝1500万人、男女それぞれ750万人（1500÷2）と仮定すれば、
現在ピアスを所有している人数は、
750万（人）×（5％＋10％）＋750万（人）×（25％＋50％＋25％＋10％）
＝937.5万（人）

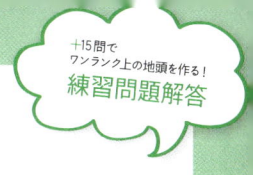

≒900万(人)

よって、A：この1年間でピアスを初めて購入した人数は、
900万(人)×5％＝45万(人)

- B：「既存」であり、この1年間でピアスを購入
  B：「既存」であり、この1年間でピアスを購入した人数は、
  現在ピアスを所有している人の数×50％
  ＝900万(人)×50％
  ＝450万(人)

②平均購入数

平均購入数はA・Bともに1年間に1個(1組)購入するものと仮定する。

③ピアスの平均単価

ピアスの平均単価を3000円と仮定する。

＜計算実行＞

①〜③より、ピアスの市場規模は、
(45万(人)＋450万(人))×1(個)×3000(円)
≒500万(人)×1(個)×3000(円)
＝150億(円)

＜現実性検証＞

1年間にピアスを買う人の数を上では約500万人(45万人＋450万人)と計算した。ピアスを主に保有している10〜30代の人口を4500万人(1500万人×3)とすると、その1/9が毎年ピアスを買う感覚となる。

| 練習問題 10 | 割り箸の年間消費数は？ | 難易度 B |

<前提確認>
　ここでの「割り箸の年間消費数」は、「日本での消費数」と見なす。また「個人により消費される割り箸」の数を求める。

<アプローチ設定>
　割り箸の年間消費数は、
　日本の人口×1人あたりの割り箸の平均消費数（年間）
で求めることができる。

<モデル化>
①日本の人口
　日本の人口を1億2000万人と仮定し、各世代（0〜80歳）の男女がそれぞれ750万人いるものと考える（1億2000万人÷8÷2）。なお、各世代はすべて同じ人口、また男女比率が1：1であると仮定する。長方形型の人口ピラミッドをイメージすればよい。

②1人あたりの割り箸の平均消費数（年間）
　1人あたりの割り箸の平均消費数（年間）を求めるにあたり、男女・年齢（0〜80歳）の2軸をもとにした表を作成し、それぞれのセグメントに消費数（週間）を書き込んでいく。

　なお、それぞれのセグメントの消費数を書き込むにあたり、次の2つの視点を設定する。
　（1）食事で箸を用いる割合の高さ
　（2）箸を用いる場合における、割り箸を用いる割合の高さ

そして、これら2つの視点に応じて、次の2つの仮定を導きだす。
視点(1)：箸を用いる割合は年齢に比例する、と仮定
視点(2)：割り箸を用いる割合は外食（持ち帰りを含む）の多さに比例する、と仮定

まとめると、年齢が高く、外食の割合が高いセグメントほど割り箸の消費数が多いと考える。

歳	10歳未満	10代	20代	30代	40代	50代	60・70代
男	1	2	3	4	4	5	4
女	1	2	2	3	3	4	3

＊20代から50代までがもっとも外出頻度が高い→外食の割合が高い、と仮定
＊20代以上の女性は外出頻度が比較的低い主婦が一定程度含まれるため、外食の割合が低いと仮定
＊60代以上になると外出頻度が低くなる→外食の割合が低くなる、と仮定

＜計算実行＞

①・②より、割り箸の年間消費数を計算すると、

750万(人)×48(膳/週)×52(週)

≒750万(人)×2500

＝187.5億(膳)

≒190億(膳)

＜現実性検証＞

林野庁のホームページによれば、割り箸の日本での年間消費数は約250億膳であるとされる。1人あたりの割り箸消費数をやや低めに見積もったかもしれない。

| 練習問題 11 | マッサージチェアの市場規模は？ | 難易度 B |

<前提確認>

マッサージチェアの所有主体は次のように分類できる。

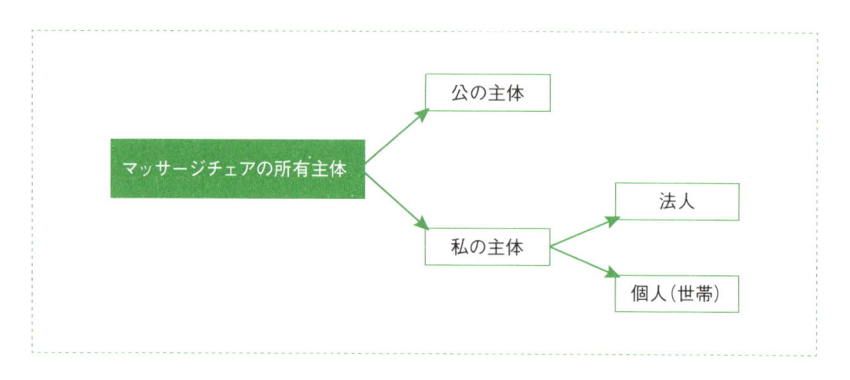

```
マッサージチェアの所有主体
├─ 公の主体
└─ 私の主体
    ├─ 法人
    └─ 個人（世帯）
```

公の主体や私の法人（温泉旅館や銭湯など）もマッサージチェアを所有していると考えられるが、ここでは個人（世帯）が所有するマッサージチェアの市場規模に範囲を限定する（なお、以下では例題とはやや異なる方法で「市場規模」を求める）。

<アプローチ設定>

マッサージチェアの市場規模は、
マッサージチェアをその年に購入した世帯の数×平均購入数×マッサージチェアの平均単価
で求めることができる。
また、マッサージチェアを現在所有している世帯は新規と既存に分類できる。

```
                ┌─→ A：この1年間でマッサージチェアを
                │    初めて購入（新規）
  現在所有       │
  している世帯   │
                └─→ 初めてのマッサージチェア購入は ┌─→ B：その年にマッサージチェアを
                     1年以上前（既存）              │    購入（既存）
                                                   └─→ C：その年にマッサージチェアを
                                                        購入していない
```

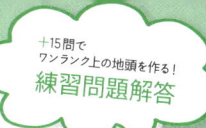

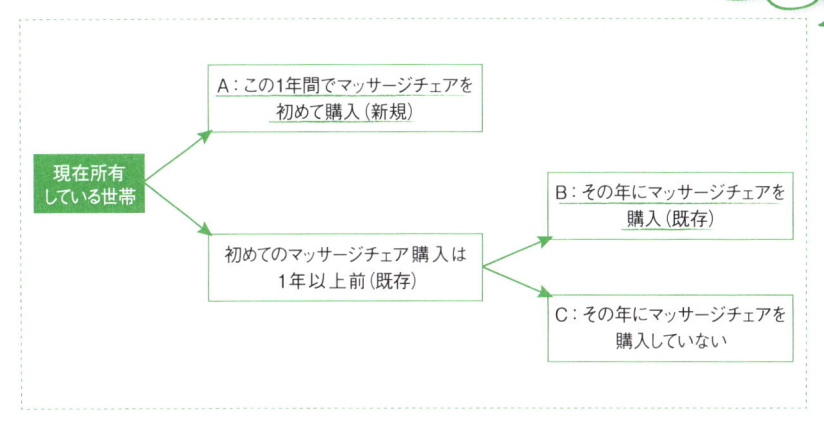

　つまり、マッサージチェアをその年に購入した世帯は、A・Bの2つに分けることができる。なお、Bには「買い足し」と「買い替え」があるが、ここではその2つを区別しないものとする。
　以下では、A＝10％、B＝10％、C＝80％であると仮定する。

＜モデル化＞
①マッサージチェアをその年に購入した世帯の数
- A：この1年間でマッサージチェアを初めて購入した世帯（新規）
  A：新規購入世帯の数は、
  現在マッサージチェアを所有している世帯の数×10％
  で求められる。

　また、現在マッサージチェアを所有している世帯の数は、
　全世帯数×マッサージチェアを所有する世帯割合
で求めることができる。全世帯数を4000万世帯（練習問題2参照）、マッサージチェアを所有している世帯割合を5％と仮定すれば、
　　4000万（世帯）×5％＝200万（世帯）
となる。

よって、A：新規購入世帯の数は、
200万（世帯）×10％＝20万（世帯）

- B：「既存」であり、その年にマッサージチェアを購入した世帯
  B：既存購入世帯の数は、
  現在マッサージチェアを所有している世帯の数×10％
  で求められる。
  つまり、Aと同じく20万世帯となる。

  よって、マッサージチェアをその年に購入した世帯の数（A＋B）は、
  20万（世帯）＋20万（世帯）＝40万（世帯）

②平均購入数
　マッサージチェアは比較的高価であることを考えて、各世帯の平均購入数を1台と仮定する。

③マッサージチェアの平均単価
　マッサージチェアの平均単価を10万円とする。

<計算実行>
　①～③より、マッサージチェアの市場規模は、
　40万（世帯）×1（台）×10万（円）＝400億（円）

<現実性検証>
　矢野経済研究所の調査によれば、2006年の時点でマッサージチェアの市場規模は605億円であるとされる。上の推定では個人（世帯）が購入するマッサージチェアに範囲を限定していたことを考慮すると、605億円よりもやや少ない400億円という推定は「悪くない」と感じられる。

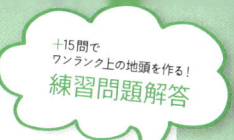

> +15問で
> ワンランク上の地頭を作る!
> 練習問題解答

| 練習問題 12 | 丸の内のラーメン店の売上は? | 難易度 A |

<前提確認>

「丸の内」とは、東京有数のオフィス街である。ここでは「丸の内」に店舗を構えるラーメン店の「1日の売上(平日)」を求めることとする。

<アプローチ設定>

丸の内のラーメン店の売上(1日)は、

客単価×客数

で基本的には求められる。

また、客数をより細かく分解すると、

営業時間×キャパシティ×稼働率×回転率

となる。

<モデル化>

①客単価

ここでは、A:昼間の客単価とB:夜の客単価を分けて考える。

- A:昼間の客単価(11時から18時まで)

ラーメンの値段を1杯700円とし、4人に1人は200円分のサイドメニュー(ごはんやトッピングなど)を注文すると仮定すれば、昼間の客単価は、

700(円)+200(円)/4=750(円)

となる。

- B:夜の客単価(18時から24時まで)

夜は、昼間の客単価に加えてビール等の「飲み物代」がつけ加えられる。5人に1人が500円の飲み物を注文すると仮定するならば、夜の客単価は、

750(円)(昼間の客単価)+500(円)/5(人)=850(円)

となる。

②**客数**

　キャパシティを50席と仮定した上で、以下、稼働率（％）と回転率（回転/h）を営業時間にそって表に書き込んでいく（営業時間は11〜24時と仮定）。

営業時間	キャパシティ	稼働率	回転率
11〜12時	50席	30%	2/h
12〜13時	50席	70%	2/h
13〜18時	50席	5%	2/h
18〜21時	50席	40%	2/h
21〜24時	50席	60%	2/h

　稼働率に関しては、オフィスが立ち並ぶ丸の内では「12〜13時」までのお昼時とオフィスワーカーが帰宅し始める「18〜21時」及び「21〜24時」の稼働率が高いと仮定。さらに、「18〜21時」の時間帯よりも「21〜24時」の時間帯のほうが稼働率は高い、つまり店が混んでいると仮定。

　回転率に関しては、客の平均滞在時間は常に30分と仮定。よって、2回転/h。

＜計算実行＞

　昼間の客数は、
　50(席) ×（30％＋70％＋5％×5）×2(回転) ＝125(人)
となる。

　よって、昼間の売上は、
　750(円) ×125(人) ＝9万3750(円)

一方で、夜の客数は、
　50(席)×(40%×3＋60%×3)×2(回転)＝300(人)
となる。
　よって、夜の売上は、
　850(円)×300(人)＝25万5000(円)
　以上より、丸の内のラーメン店の1日の売上は、
　9万3750(円)＋25万5000(円)
　＝34万8750(円)
　≒35(万円)
となる。

＜現実性検証＞
　同じ飲食店であるスタバの1日の売上が約30万円(例題12参照)。スタバの売上をやや上回るものである。

| 練習問題 13 | ゲームセンターの売上は？ | 難易度 B |

<前提確認>
　ここでは、東京の駅前にあるようなゲームセンターをイメージする。また「売上」は、「平日1日の売上」と考える。

<アプローチ設定>
　ゲームセンターの売上は、
　客単価×客数
で基本的に求めることができる。また、客数は、
　営業時間(h)×キャパシティ×稼働率(%)×回転率(回転/h)
で求められる。
　なお、ここでの客数は「のべ人数」で考えることとする（たとえば、1人のお客さんが5回ゲームをした場合は、1×5＝5人と見なす）。

<モデル化>
①客単価
　客単価は100円（ゲーム1回あたりの料金）。

②客数
　キャパシティは50台（ゲーム機の数）。
　営業時間は計12時間（11時〜23時）。
　稼働率は時間帯によってさまざまであるが、回転率は一定のものと仮定する。
　回転率を仮定するにあたり、1ゲームを10分で終える層と、1ゲームを30分で終える層が半々であると仮定する。言い換えれば、「ゲームがへたな層」と「ゲームがうまい層」が半々であるということである。
　つまり、回転率は平均して、1回転あたり（10分＋30分）÷2＝20分、

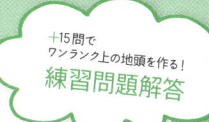

よって、3回転/hとなる。なお、ここでは単純化のために、ゲームの種類は考えないこととする。

　以上のような仮定に基づき、営業時間、キャパシティ、稼働率、回転率の4つの要素にそって表を作り上げていく。

営業時間	キャパシティ	稼働率	回転率
11〜15時	50台	20%	3回転/h
15〜19時	50台	40%	3回転/h
19〜23時	50台	50%	3回転/h

　稼働率を設定するにあたり、ここでは客層を次の3つと仮定している。
　　(1) ニート：全営業時間一定の割合(20%)を占める
　　(2) 学生　：15時から20%の割合を占めるが、19時以降は半分が帰
　　　　　　　宅し10%の割合
　　(3) 社会人：19時以降20%の割合を占める
　たとえば、19時から23時までの時間帯であれば、
　稼働率＝ニート(20%)＋学生(10%)＋社会人(20%)＝50%
という計算を行っている。

＜計算実行＞
　②の表に基づいて客数(のべ人数)を計算すると、
　50(台)×3(回転)×(20%×4＋40%×4＋50%×4)
　＝50(台)×3(回転)×440%
　＝660(人)

　よって、①②より、ゲームセンターの1日の売上は、
　660(人)×100(円)＝6万6000(円)

となる。

＜現実性検証＞

　ゲームセンター経営にかかるコストを①人件費、②テナント料、③その他雑費の3つ（初期投資費用を除く）と考える。①に関して、店員が3名、1日の給料が8000円であると仮定すれば、8000円×3＝2万4000円。また②に関して、テナント料を月30万円と仮定すれば、1日にかかるコストは30万÷30（日）＝1万円。最後に、その他雑費（電気代など）を1日1万円であると仮定する。

　以上より、ゲームセンター経営にかかるコストは、2万4000円＋1万円＋1万円＝<u>4万4000円</u>。このような仮定に基づけば、上で求めた6万6000円という数字は収益の点から妥当なものであると感じられる。

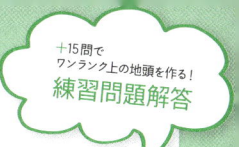

> +15問で
> ワンランク上の地頭を作る！
> 練習問題解答

練習問題 14　キヨスク1店舗の1日の売上は？　難易度 B

＜前提確認＞

　ここでの「キヨスク」とは、<u>東京・山手線内の駅（たとえば東京駅）にあるキヨスク</u>であると仮定する。また、「売上」とは<u>「平日1日の1店舗の売上」</u>を意味するものと考える。

　営業時間は7時から21時まで、店員は1人。一方で「キヨスクの商品」は次のように分類できる。

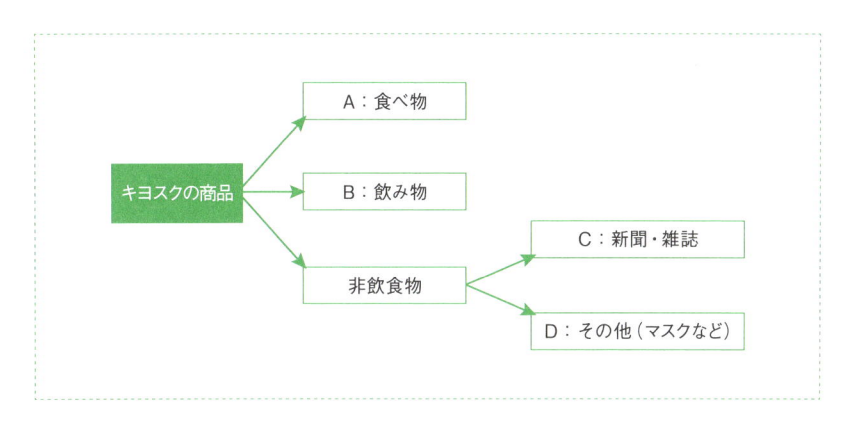

```
キヨスクの商品 ─┬─→ A：食べ物
                ├─→ B：飲み物
                └─→ 非飲食物 ─┬─→ C：新聞・雑誌
                              └─→ D：その他（マスクなど）
```

　ここでは、それぞれの値段を単純化して次のように考える。

A：「食べ物」＝100円
B：「飲み物」＝150円
C：「新聞・雑誌」＝（100円（新聞）＋300円（雑誌））÷2＝200円
D：「その他」＝100円

＜アプローチ設定＞

　<u>キヨスクの売上</u>は、
　客単価×客数
で基本的には求めることができる。

また客数は、

営業時間 × 店員の処理速度(人/h) × 稼働率(%)

で求められる。

つまり、営業時間 × 店員の処理速度から店員が処理できる最大の数を出し、その数に稼働率をかけることで実際の客数を求める。

なお、店員の処理速度は常に一定のものとし、1人/15秒と仮定する。すなわち、4人/分であり、240人/hとなる。

<モデル化>

客数を求めるための要素である営業時間、店員の処理速度、稼働率、そして客単価の計4つの要素をもとに、以下のような表を作成する。

営業時間	店員の処理速度	稼働率	客単価
7～9時	240人/h	25%	260円
9～17時	240人/h	10%	210円
17～19時	240人/h	20%	260円
19～21時	240人/h	15%	210円

この表において、稼働率と客単価は次のような仮定に基づいている。

7～9時：ラッシュで人が多い(25%)。「B：飲み物」を買うとともに2人に1人が「C：新聞・雑誌」を購入する。「D：その他」は10人に1人が購入(150+200÷2+100÷10＝260円)。

9～17時：比較的人が少ない時間帯(10%)。「B：飲み物」を買うとともに2人に1人が「A：食べ物」を購入する。「D：その他」は10人に1人が購入(150+100÷2+100÷10＝210円)。

17～19時：ラッシュで人が多いが、一部は19時以降に帰宅するため朝より人はやや少ない(20%)。朝と同じく「B：飲み物」を買うとともに2人に1人が「C：新聞・雑誌」を購入する。また「D：その他」は10人に1人が購入(150＋200÷2＋100÷10＝260円)。

19～21時：帰宅する人々を含むため9～17時よりもやや人は多い(15%)。「B：飲み物」を購入し、4人に1人が「C：雑誌・新聞」を購入する。「D：その他」は10人に1人が購入(150＋200÷4＋100÷10＝210円)。

＜計算実行＞
以上より、キヨスクの売上は、
240(人/h)×{(2(h)×25%×260(円))＋(8(h)×10%×210(円))
＋(2(h)×20%×260(円))＋(2(h)×15%×210(円))}
＝240(人/h)×465(円)
≒240(人/h)×500(円)
＝12万(円)

＜現実性検証＞
2007年11月6日の日本経済新聞の記事によれば、キヨスクと同様にJR東日本リテールネットのもち店舗であるNEWDAYS(駅の中のコンビニのような店)の1店舗売上が1日66万2000円であるとされる。上で求めたキヨスクの1店舗売上はNEWDAYSの1/5程度の感覚となる。

> 練習問題 **15** 日本に美容師は何人いるか？　難易度 **C**

<前提確認>

人が「髪を切る」行動パターンは次のように分類できる。

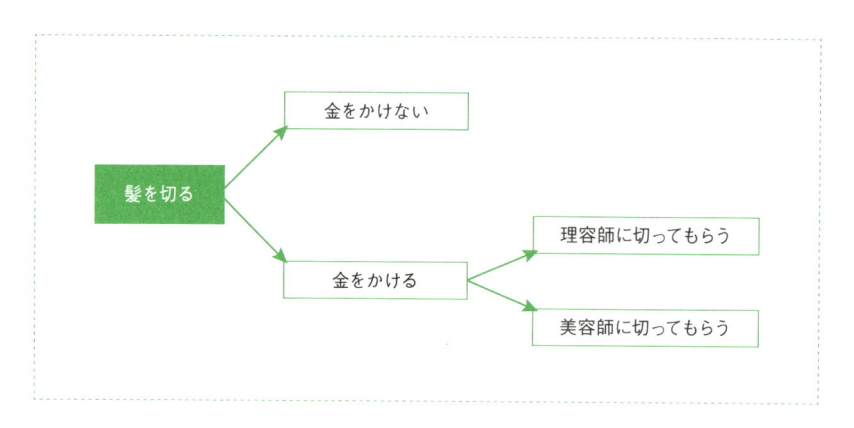

```
髪を切る ─┬─→ 金をかけない
         └─→ 金をかける ─┬─→ 理容師に切ってもらう
                        └─→ 美容師に切ってもらう
```

ここでは「金をかける」かつ「美容師に切ってもらう」場合に範囲を限定する。つまり、「美容師の数」に即していえば、お金をもらって「髪を切る」（カット以外のケアも含めて）美容師に範囲を限定する。

<アプローチ設定>

日本における美容師の数は、

美容院で髪を切る人の数（年間）÷美容師1人あたりの平均担当人数

で求めることができる。これは、「マクロ需要」を「ミクロ供給」で割るという手法である。

ここでは、「人数」をのべ人数として考える。たとえば、ある人が1年間に12回髪を切れば、1×12回＝12人、と見なされる。

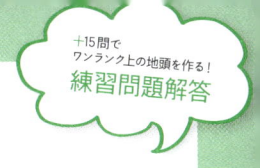

<モデル化>

①美容院で髪を切る人の数（年間）

美容院で髪を切る人の数（年間）は、

日本で髪を切る人の数（年間）×美容院で髪を切る割合

で求められる。

美容院で髪を切る人の数を求めるにあたり、男女と年齢（0～80歳）を軸にした表を書き、美容院で髪を切る割合を書き込んでいく。なお、簡単化のため、男女・世代問わず月に1回「髪を切る」ものと仮定する。

歳	10歳未満	10代	20代	30代	40代	50代	60・70代
男	20%	60%	80%	60%	40%	40%	20%
女	20%	80%	80%	80%	80%	80%	80%

＊10代以上の世代では、女性のほうが美容院で髪を切る割合が高いと仮定
＊男性では、30歳を超えると「理容院」の利用者が増えると仮定
＊10歳未満の子供は、美容院に行く割合が男女とも低いと仮定

以上の仮定に基づいて作成した表から、各世代の男女の人口をそれぞれ750万人（1億2000万人÷8÷2）として計算すると、美容院で髪を切る人の数（年間）は、

750万（人）×920%×1（回）×12（カ月）＝6900万×12（人）

となる。つまり、美容院で髪を切る人の数は、1カ月あたりでは6900万人、年間では6900万×12人となる。

①美容師1人あたりの担当人数

美容師1人あたりの担当人数を、1日あたり5人と仮定する。また、美容師は1カ月あたり24日勤務するものと仮定するならば、美容師1人あたりの担当人数（年間）は、

5（人）×24（日/月）×12（カ月）＝120×12（人）

となる。

<計算実行>

①②より、日本における美容師の数は、
(6900万(人)×12(カ月))÷(120(人)×12(カ月))≒57万(人)
と求められる。

<現実性検証>

（財）全国生活衛生営業指導センターによれば、平成20年3月時点での「従業美容師数」は、約43.7万人。現実の数に比べて、上で求めた数字はやや大きくなってしまった。上では簡単化のために「男女・世代問わず毎月1回髪を切る」と仮定したが、実際の頻度は毎月1回よりもやや低いかもしれない。

フェルミ推定問題　厳選100問

われわれが解いてきた1000問以上の問題から、良問を100問厳選しました。日々のトレーニングに使っていただければ幸いです。なお、フェルミ推定の性質上、当然ながら、他の解法が考えられる場合が多くあります。

表の見方　　▼問題　　　　　▼難易度　　　　▼コメント

個人・世帯ベースでストックを求める問題　12問

問題	難易度	コメント
日本に傘は何本あるか	A	雨傘・折り畳み傘・日傘があります
日本にネクタイは何本あるか	A	男性の所有率と所有数の推定です
日本に腕時計はいくつあるか	A	腕時計はアクセサリー的要素もあるので複数所有している人もいます
日本に携帯電話は何台あるか	A	最近では小学生も所有するなど、若年層への普及が進んでいます
日本に家庭用固定電話は何台あるか	B	固定電話がない世帯はどういう特徴をもっているでしょう
日本にテレビは何台あるか	B	大世帯ではテレビを複数もっている場合があります
日本に洗濯機は何台あるか	B	コインランドリー需要もまだ根強くあります
日本に別荘はいくつあるか	B	富裕層世帯数の推定がカギです
日本のバスケットボール人口は	A	どこまでを「人口」に含めるか、定義しましょう（以下4つは所有アプローチとはいえないですが、個人・世帯ベースで解くことができます）
日本の将棋人口は	A	中高年の男性に根強い人気があります
日本に自民党員は何人いるか	A	政治活動者の「自民党選択率」をどう設定しますか
日本に阪神ファンは何人いるか	A	関西と関東にセグメント分けするのも有効かもしれません

法人ベースでストックを求める問題　8問

問題	難易度	コメント
日本に会社はいくつあるか	B	法人ベースの基本となる問題です
日本に机はいくつあるか	C	法人だけでなく、学校や世帯にもあることに注意です
日本にホワイトボードはいくつあるか	C	法人だけでなく、学校にもあります
日本に蛍光灯はいくつあるか	C	1部屋あたりの蛍光灯の数をどう設定しますか
日本に喫煙ルームはいくつあるか	C	最近は設置されていない会社もあるようです
日本にトイレはいくつあるか	C	法人や学校については、一定人数あたりに1つあると仮定してよいでしょう
日本に食堂はいくつあるか	C	法人では社員食堂、学校では学食を持つところがあります
日本に取締役は何人いるか	C	大部分の会社には取締役がいます（所有アプローチとも存在アプローチともいえます）

面積ベースでストックを求める問題　12問

問題	難易度	コメント
日本にマクドナルドはいくつあるか	A	基本問題です
日本に漫画喫茶はいくつあるか	A	都会を中心に分布しています
日本にスーパーはいくつあるか	A	店舗数は人口に比例するとしてよいでしょう
日本にガソリンスタンドはいくつあるか	A	都会と田舎の違いをどう設定しますか
日本に病院はいくつあるか	A	単位面積をどう設定しますか
日本に交番はいくつあるか	A	パトカーが一定時間内に駆けつけられるところにあるはずです
日本にマンホールはいくつあるか	B	マンホールは道路にあります
日本に橋はいくつあるか	B	川の本数を求める方法もあります

日本に捨てたばこは何本あるか	B	都会では意外なくらい多く落ちています
日本に神社はいくつあるか	A	人が住まない山地にもあります
東京都内に駅はいくつあるか	A	多くの問題で基本となる問題です
東京都内に道路標識はいくつあるか	B	道路標識は何メートルおきにあるでしょう

ユニットベースでストックを求める問題　8問

日本に美術館はいくつあるか	B	公立と私立があります
日本に温泉はいくつあるか	C	温泉の定義が重要です
日本に海水浴場はいくつあるか	C	南方の県には多くあるはずです
日本にダムはいくつあるか	C	川の上流である内陸部にあります
日本に政治家は何人いるか	B	主に市町村・都道府県のユニットごとに選出されています
東京にカラスは何羽いるか	C	カラスはどこにいるでしょう
世界に核兵器はいくつあるか	C	1国あたりの核兵器の数の大小関係のロジックをどうつけますか
世界にゴキブリは何匹いるか	C	ゴキブリはどこにいるでしょう

マクロ売上を求める問題　20問

眼鏡の市場規模	C	近視・遠視・老眼、サングラスなどいろんなニーズがあります
シャンプーの市場規模	C	詰め替え用、携帯用もあることに注意です
国語辞典の市場規模	B	電子辞書の登場で買い替え需要は少ないと考えられます
ボールペンの市場規模	B	法人もボールペンを購入します
オートバイの市場規模	B	基本的には新車販売台数の問題の類推で解けるでしょう
アメリカの銃の市場規模	C	外国なので数の設定が難しいです
ヨーグルトの市場規模	A	B2B市場は除いてもよいかもしれません
バナナの年間消費量	A	バナナを食べるのは誰でしょう
充実野菜の年間売上	A	充実野菜の野菜ジュースにおけるシェアはどのくらいでしょう
任天堂DSの年間売上	A	老若男女問わず、売れているようです
ディズニーランドの年間売上	A	ミクロ売上で考えると大変です
都内の証明写真機の年間売上	B	写真を撮るときはどういうときでしょうか
日本経済新聞の年間売上部数	B	世帯定期購読が多いでしょう
携帯電話の年間契約数	B	新規と継続(既存)に分けましょう
結婚相談所の年間利用者数	A	利用者の年齢層はどうでしょう
ケニアへの年間日本人観光客数	B	「アフリカ選択率×ケニア選択率」を求めましょう
東京都内の年間交通事故件数	C	交通事故にあう確率の設定がカギでしょう
年賀状の年間送付数	B	若年層はメールを使うようです
漢字検定の年間受験者数	C	漢字検定を受けるのは誰でしょう
ミクシィの1日のトップページアクセス数	B	ヘビーユーザーとライトユーザーの比率はどのくらいでしょう

ミクロ売上を求める問題　20問

マクドナルドの売上	A	基本問題です
居酒屋の売上	A	「キャパシティ×稼働率×回転率」の式が使えます
ホテルの売上	A	「キャパシティ×稼働率」の式が使えます
パチンコ店の売上	B	キャパシティはパチンコ台の数に対応します

占い師の売上	B	占い師の日常をイメージしましょう
コインロッカーの売上	A	数値設定は実感ベースでOKです
サービスエリアの売上	C	レストラン、売店が複数あります
ガソリンスタンドの売上	B	洗車等の副次的サービスもあるようです
結婚式場の売上	B	場所代、飲食代、機材代、サービス料などが請求されます
葬儀業者の売上	B	単価の推定が肝でしょう
歯科医の売上	B	「キャパシティ×稼働率×回転率」の式が使えます
水泳教室の売上	B	1時間のレッスンが多いようです
スキー場の売上	C	リフト料、レンタル料もあります
キャバクラの売上	B	飲食代＋サービス料＋指名料です
雀荘の売上	A	夜が本番でしょう
図書館の年間利用者数	A	ご自身の利用する図書館をイメージしていただいてかまいません
大相撲の年間観客動員数	A	1・3・5・7・9・11月の年6回本場所があります
劇団四季の年間観客動員数	B	全国に8カ所9劇場あるようです
東京モノレールの1日の乗客数	B	羽田空港に直結しています
JR渋谷駅のエスカレーターの1日の利用者数	B	実はエスカレーターにも「キャパシティ×稼働率×回転率」の式が応用できます

「マクロ需要÷ミクロ供給」でストックを求める問題　10問

日本にマッサージ師は何人いるか	B	マッサージを受ける人はどんな人でしょう
日本にネイリストは何人いるか	B	ネイリストは1日何人さばくのでしょう
日本に弁護士は何人いるか	C	人権弁護士、民事弁護士、企業法務弁護士などさまざまです
日本に臨床医は何人いるか	C	幼児・高齢者の需要が多いでしょう
日本に通訳は何人いるか	C	通訳の需要はどんなところで生じますか
日本にクリーニング店はいくつあるか	B	マクロ需要は世帯ベースで考えましょう
日本にスポーツジムはいくつあるか	B	主婦やビジネスパーソン、高齢者など幅広く利用します
日本に古書店はいくつあるか	B	アマゾンの普及により、古書店に通う人は高齢化していると仮定できます
日本に学習塾はいくつあるか	B	学習塾と受験予備校との区別が難しいです
日本に不動産屋はいくつあるか	C	不動産需要は世帯ベースで考えましょう

基本体系にあてはまらない応用問題　10問

深夜市場のポテンシャル規模	C	潜在ニーズを指摘することが必要です
新潟中越地震の被害額	C	建物やインフラ、自然などを含め、広範囲に被害が発生します
雨の日にデパートの客足がどれだけ減るか	C	客の目的(食事・買い物等)を分析することがカギでしょう
ここ10年の自転車の市場規模の増減はいくらか	C	まずは、考えられる増加要因と減少要因をそれぞれ示しましょう
iPhoneの来年の販売台数	C	iPhoneのトレンドを導くロジックをどう組み立てますか
サントリーホールの総工費	C	一般の一軒家の建設費用から類推できます
企業A（任意）の新卒採用コスト	C	人件費、会場費、広告費など、まずはコスト項目を洗い出しましょう
フジテレビの年間売上	C	CMの広告収入が主だと仮定し、CMの「単価×本数」で計算してみましょう
10年後の日本の総人口	C	「人口増減数＝出生数－死亡数」です
日本の年間結婚件数	C	「結婚件数＝未婚カップル数×成婚率」を使う方法をはじめ、いろいろな方法があります

著者紹介

東大ケーススタディ研究会
2008年6月に戦略コンサル志望者を中心に活動開始．フェルミ推定やビジネスケース等の幅広いケーススタディの研究，セミナー，および就活支援活動を行っている．

Twitter：https://twitter.com/todaicase

脇田　俊輔（わきた　しゅんすけ）
2006年，東京大学法学部卒．2008年，東京大学大学院法学政治学研究科修士課程修了（法学修士）．2009年現在，同大学院博士課程に在籍中．研究会設立メンバー．

吉田　雅裕（よしだ　まさひろ）
2009年現在，東京大学経済学部に在籍中．研究会設立メンバー．

現役東大生が書いた 地頭を鍛えるフェルミ推定ノート

2009年10月 1 日　第 1 刷発行
2020年 6 月12日　第22刷発行

著者　東大ケーススタディ研究会
発行者　駒橋憲一

〒103-8345
発行所　東京都中央区日本橋本石町 1 - 2 - 1　東洋経済新報社
　　　　電話 東洋経済コールセンター03(6386)1040

印刷・製本　図書印刷

本書のコピー，スキャン，デジタル化等の無断複製は，著作憲法上での例外である私的利用を除き禁じられています．本書を代行業者等の第三者に依頼してコピー，スキャンやデジタル化することは，たとえ個人や家庭内での利用であっても一切認められておりません．
Ⓒ 2009〈検印省略〉落丁・乱丁本はお取替えいたします．
Printed in Japan　　ISBN 978-4-492-55654-2　　https://toyokeizai.net/

「東大生が書いた」シリーズ第2弾好評発売中!

東大生が書いた
問題を解く力を鍛える
ケース問題ノート

50の厳選フレームワークで、どんな難問もスッキリ「地図化」!

東大ケーススタディ研究会 著　　定価(本体1500円+税)

大学生が3カ月で100万円貯めるには、どうする?
こんな突飛な質問から、試験、日常生活、ビジネスなど、
あらゆる場面で一生使える最高の問題解決法とは──

どんな問題も「3ジャンル、5ステップ」で解ける、東大発、新思考システム!

主要目次

- **PART1** ▶ どんな問題もスラスラ解ける!
  問題解決ケースの3ジャンル・5ステップ
  - chapter1 ▶ 問題解決ケースの3ジャンル
  - chapter2 ▶ 問題解決ケースの5ステップ
  - chapter3 ▶ 実際の面接における5ステップ
- **PART2** ▶ 9パターンのコア問題で、
  問題を解く力を効率的に鍛える!
- **練習問題** ▶ +9問でワンランク上の問題を解く力を身につける!

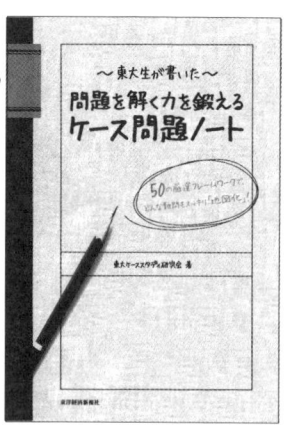